Marie-Claude Roy
Carole Villeneuve

Des anges canins

à Bona Kim,

Bonne lecture !

Marie-Claude

Roy and Newtown
Vaudreuil-Dorion, Canada

APr

Tous droits réservés pour l'édition en français
© 2011, Roy and Newtown

Titre original en anglais : Canine Angels
Bibliothèque et Archives Canada

ISBN : 978-0-9876995-0-3

Roy and Newtown
2941, Boul. de la Gare
Vaudreuil-Dorion (Québec) J7V 9R2
Canada

Téléphone : 450 424-6270
Télécopieur : 450 424-6174
www.canineangels.info / info@canineangels.info

Conception et réalisation du livre : Klak Graphisme
Stéphanie Salois et Mathieu Marleau

Soutien linguistique : Edith Fleurent

Imprimé au Canada

À tous les chiens qui améliorent notre qualité de vie, soyez sans cesse plus nombreux pour le mieux-être de l'humanité.

Armstrong est le chien d'assistance de Mark Ruefenacht, fondateur de Dogs for Diabetics, situé en Californie.
Photo de couverture : Yellow Neener Photography par Mary Hooker

Les témoignages suivants sont des faits véridiques.

Table des matières

Préface

Du cheval on dit: «Notre histoire fut écrite sur son dos». On peut dire du chien qu'il était à nos côtés lorsque notre histoire s'écrivait. Depuis ses humbles débuts, l'homme préhistorique capturait les chiens, les élevait et les choisissait pour leurs nombreuses habiletés. Ainsi, le chien s'est frayé une place aux côtés de l'homme.

Du chien gardien de camp au chien partenaire de chasse, en passant par le chien de trait, le chien gardien du bétail, le chien de guerre et, en dernier lieu, le chien compagnon, cet animal en est venu à accepter l'homme comme une espèce égale à lui-même.

Vers les années 1970, le lien d'animal compagnon fut reconnu et exploré. Les avantages de la coexistence avec le chien se sont avérés, de manière quantifiable, très positifs sur les plans social et psychologique. On a noté un accroissement important du bien-être de la personne. De là, ces merveilleux animaux domestiques se sont mis à faire des visites dans des hôpitaux et des centres de soins de longue durée. Investi d'un entraînement spécial et bien précis, d'un désir de plaire, d'un amour inconditionnel et de sens spéciaux, le chien d'assistance a vu le jour. Il existe maintenant un lien fantastique et indéfectible entre l'humain et le canin. Le mot d'ordre ici est «équipe».

Il y a de cela plus d'un siècle, les premières équipes composées d'humains et de chiens à prendre forme furent celles des chiens-guides pour les aveugles. À présent, les chiens servent sur plusieurs fronts au niveau de la santé et de certaines conditions comme le diabète, la surdité, l'épilepsie, la mobilité réduite et l'autisme. Aussi, les chiens sont en mesure de se servir de leur truffe sensible pour la détection du cancer. Dans l'avenir, de nouvelles possibilités s'offriront aux chiens d'assistance, au fur et à mesure que les rangs des adeptes et des défenseurs augmenteront avec ceux des entraîneurs et des chercheurs.

Ce livre s'avère principalement un ouvrage qui vous informe des différents rôles que les chiens d'assistance jouent de nos jours. Vous y trouverez non seulement le raisonnement scientifique, mais aussi des témoignages de gens qui nous racontent à quel point leur vie s'est transformée depuis qu'ils font équipe avec un chien.

Bref, j'aimerais exprimer mon admiration à ces gens et à ces chiens spéciaux qui forment différentes équipes, sans oublier tous ceux et celles qui se dévouent corps et âme pour faire de ces équipes une réelle possibilité.

Donc, tournez la page et partagez avec ces gens extraordinaires leur vie avec leur formidable ange canin.

William S. Johnston, B.Sc. A., D.V.M.
Ormstown (Québec)

Avril 2011

Introduction

La plupart des gens connaissent le travail remarquable des chiens-guides pour les aveugles et des chiens d'assistance pour les personnes à mobilité réduite. Cependant, bien peu sont au courant qu'il existe des chiens d'assistance pour les personnes diabétiques, les personnes aux prises avec l'épilepsie, les enfants autistes, les personnes ayant des problèmes de santé mentale et les personnes sourdes ou malentendantes.

Ce n'est pas tout. Des recherches scientifiques très rigoureuses ont permis de démontrer que les chiens sont en mesure de détecter le cancer du poumon et le cancer du sein avec un taux de précision supérieur à 90 %.

Le livre que vous tenez entre vos mains se veut une série de témoignages de gens qui nous racontent à quel point leur chien a amélioré leur qualité de vie. Peut-être serez-vous étonnés, sceptiques ou tout simplement émerveillés par les capacités extraordinaires des chiens.

Ce livre n'est pas un ouvrage scientifique. Il est d'abord et avant tout un vibrant hommage à ces formidables bêtes qui nous accompagnent depuis des milliers d'années. Au cours des pages qui vont suivre, peut-être vous demanderez-vous comment expliquer qu'un chien puisse être capable de détecter une hausse et une baisse de glycémie chez son maître pour ensuite l'alerter bien avant que sa pompe à insuline ne se mette à sonner? Peut-être vous demanderez-vous comment un chien peut être en mesure d'alerter son maître aux prises avec l'épilepsie avant qu'il ne fasse une crise? Peut-être vous demanderez-vous comment un chien peut découvrir un début de cancer chez son maître?

Nous avons fait des recherches et nous avons obtenu bien peu de réponses à ces questions. À vrai dire, il existe très peu de recherches pour comprendre et expliquer les formidables habiletés des chiens. Certains scientifiques affirment qu'il faudra des années de recherche avant d'obtenir des réponses.

D'ici là, nous ne pouvons qu'admirer et surtout encourager le travail de ces chiens merveilleux auprès des personnes qui ont véritablement besoin de leurs services.

Marie-Claude et Carole

Des chiens pour les personnes diabétiques

Les bandelettes et les lecteurs de glycémie sont des objets bien connus des personnes diabétiques car ils servent à vérifier leur taux de glucose dans le sang. Depuis quelques années, des enfants et des adultes diabétiques possèdent des chiens d'assistance. Ces chiens sont entraînés à alerter leur maître quand survient une hausse ou une baisse du taux de sucre dans le sang. Plus étonnant encore, ces chiens interviennent auprès de leur protégé bien avant que les symptômes apparaissent.

Le diabète

Selon la Fédération Internationale du Diabète, plus de 300 millions de personnes sont diabétiques, représentant 6% de la population adulte mondiale. Chaque année, 7 millions de nouveaux cas de diabète sont diagnostiqués. D'ici 2025, le nombre de personnes diabétiques pourrait s'élever à 380 millions à l'échelle mondiale[1].

Le diabète est une maladie chronique incurable qui apparaît lorsque le pancréas ne produit plus suffisamment d'insuline ou que l'organisme n'utilise plus correctement l'insuline qu'il produit. Si l'insuline est insuffisante ou si elle ne remplit pas adéquatement son rôle, comme c'est le cas pour le diabète, le glucose (sucre) ne peut servir de carburant aux cellules. Il s'accumule dans le sang et est déversé dans l'urine. Avec le temps, l'hyperglycémie provoquée par la présence excessive de glucose dans le sang entraîne des complications, notamment au niveau des yeux, des reins et du cœur. La cause réelle du diabète demeure inconnue.

Diabète de type 1

Le diabète de type 1 se manifeste durant l'enfance, l'adolescence ou chez les jeunes adultes. Il se caractérise par une absence de production d'insuline. Les personnes diabétiques de type 1 dépendent d'injections quotidiennes d'insuline pour vivre. Jusqu'à maintenant, il est impossible de prévenir ce type de diabète. Les symptômes sont les suivants : excrétion excessive d'urine, sensation de soif, faim constante, perte de poids, altération de la vision et fatigue.

Diabète de type 2

Le diabète de type 2 se manifeste généralement après l'âge de 40 ans. Le diabète de type 2 représente 90 % des diabètes rencontrés dans le monde. Il pourrait être, en grande partie, le résultat d'une surcharge pondérale et de la sédentarité. Il peut apparaître dès l'enfance. Ses symptômes semblent être les mêmes que ceux du diabète de type 1, mais ils sont souvent moins marqués. Le diabète de type 2 est le type le plus sournois. Les symptômes peuvent passer inaperçus pendant plusieurs années.

Valeurs cibles de la glycémie

Pour la plupart des personnes diabétiques, le taux de glycémie à jeun ou avant les repas devrait se situer entre 4,0 et 7,0 mmol/L. Environ deux heures après un repas, le taux devrait se situer entre 5,0 et 10,0 mmol/L. Une valeur de glycémie en-dessous de 4,0 mmol/L signifie que la personne est en hypoglycémie, c'est-à-dire que son taux de sucre dans le sang est trop bas.

«Nos chiens sauvent des vies»
Mark Ruefenacht, fondateur de Dogs for Diabetics

Mark Ruefenacht est diabétique de type 1 depuis plus de 20 ans. L'idée de fonder Dogs for Diabetics a pris naissance grâce à l'intervention de Benton, un labrador noir qui lui a sauvé la vie. En alliant ses connaissances scientifiques dans le domaine médico-légal à celles d'entraîneur de chiots pour Guide Dogs for the Blind, Mark Ruefenacht a mis des années à développer un programme visant à entraîner des chiens d'assistance pour personnes diabétiques.

«C'était il y a plus de 10 ans, raconte-t-il. Je me trouvais dans une chambre d'hôtel à New York en compagnie de Benton, un chiot que j'entraînais pour Guide Dogs for the Blind. Une nuit, Benton a détecté une baisse de glycémie dans mon sang. Il m'a réveillé et je suis allé chercher de l'aide. En plus d'œuvrer comme entraîneur pour chiens-guides, je travaillais dans le domaine médico-légal. J'avais déjà des connaissances en rapport avec l'haleine, l'alcool, l'alcool dans le sang, etc. J'ai donc combiné mes expériences de travail pour en arriver à développer une méthode et des procédures. Pendant cinq ans, j'ai fait beaucoup d'expériences et de recherches.»

Le premier chien avec lequel Mark a expérimenté son programme d'entraînement est Armstrong. À ce moment-là, il s'agissait d'une expérience, car Mark ignorait si sa façon de faire allait porter fruits à d'autres personnes diabétiques.

«Armstrong pouvait détecter mon hypoglycémie, mais on ne savait pas s'il pouvait détecter celle d'autres personnes diabétiques, dit-il. J'ai donc fait appel à un ami qui est diabétique de type 1 comme moi. Armstrong alertait également cette personne lorsqu'elle était en baisse de sucre. J'ai donc continué à développer mon programme en entraînant d'autres chiens.»

En tant que fondateur de Dogs for Diabetics, l'homme de 49 ans doit voyager régulièrement. Son fidèle ami Armstrong l'accompagne dans tous ses déplacements.

«Quand je voyage, il y a des fluctuations de glycémie dans mon sang parce que je manque des repas en raison des changements de fuseau horaire, explique-t-il. De temps à autre, Armstrong me réveille durant la nuit pour me signifier que je dois vérifier mon taux de sucre. Je ne sais pas si mon chien m'a sauvé la vie, mais il m'a été d'un grand secours à plusieurs occasions. Il m'aide à maintenir mon taux de sucre à un niveau constant. Une chose est certaine, Armstrong a changé ma vie d'une multitude de façons. Il a amélioré mon diabète. Et surtout, il a ouvert une porte à un tout nouveau monde pour aider les autres personnes diabétiques ainsi que la recherche sur le diabète.»

Dogs for Diabetics existe depuis 2004 et Armstrong a maintenant neuf ans. Au cours des dernières années, le formidable labrador blanc a détecté des baisses de sucre non seulement chez son maître, mais aussi chez d'autres personnes et à de nombreuses reprises. Un jour, alors que Mark se trouvait avec son chien à l'aéroport de Salt Lake City, Armstrong a détecté une baisse de sucre chez un homme qui marchait en direction opposée de Mark. L'animal s'est tourné vers lui et l'a heurté de façon intentionnelle. L'homme a continué son chemin rapidement. Quelques instants plus tard, Mark a rencontré de nouveau ce monsieur. Celui-ci lui a demandé pourquoi son chien l'avait heurté. Mark lui a expliqué que son chien est formé pour détecter l'hypoglycémie chez les gens. Étonné, l'homme a répondu qu'il est diabétique et qu'il s'était empressé d'aller chercher de l'aide, car son taux de sucre était bas.

«Je pourrais vous mentionner d'autres exemples où Armstrong a détecté des baisses de sucre chez les gens, indique Mark. Armstrong est le premier chien qui a été entraîné à les détecter. Il est un peu différent des autres chiens d'assistance que nous entraînons. Nous tentons de faire en sorte que nos chiens puissent se concentrer sur une seule et même personne. Ils ne doivent pas être distraits par les autres personnes dia-bétiques. Nos chiens d'assistance ont tous un *bringsel* au cou. Il s'agit d'une petite lanière de cuir accrochée au collier de l'animal. Lorsqu'ils détectent une baisse ou une hausse du taux de glycémie dans le sang de leur maître, les chiens d'assistance prennent cet objet dans leur gueule et font un contact physique avec leur maître. De cette façon, les personnes diabétiques savent qu'elles doivent vérifier leur taux de sucre. Si elles ignorent ou ne répondent pas à cette demande, les chiens vont intensifier leur façon de les alerter. »

Les chiens de Dogs for Diabetics sont offerts par Guide Dogs for the Blind et Canine Companions for Independence, après deux ans d'entraînement et de socialisation. Une fois transférés chez Dogs for Diabetics, les chiens reçoivent un autre entraînement, d'une durée de six mois, au cours duquel ils apprennent à détecter et à alerter lorsqu'il y a baisse ou hausse de sucre chez les personnes diabétiques. Les chiens sont entraînés à détecter une odeur particulière semblable à celle de l'acétone qui est présente dans l'haleine et ensuite au niveau de la peau. La majorité des chiens sont des labradors et des

Mark et Armstrong.

golden retrievers. Ils ont un peu plus de deux ans lorsqu'ils sont attribués à des personnes diabétiques.

Au cours des prochaines années, Mark aimerait que Dogs for Diabetics prenne de l'expansion dans le plus grand nombre d'États américains afin d'aider les personnes diabétiques.

«Nous désirons prendre de l'expansion, mais nous ne devons pas le faire trop rapidement, souligne le fondateur. Nous devons nous assurer de faire un suivi adéquat auprès de nos clients. Nous offrons nos chiens d'assistance gratuitement. Pour cela, nous devons amasser des fonds. J'ai une vision semblable à celle de Guide Dogs for the Blind. Cette organisation donne des chiens aux États-Unis et au Canada. Je veux faire la même chose. Mon autre but est de faire de la recherche sur le diabète afin d'améliorer la vie des personnes diabétiques, qu'elles aient un chien d'assistance ou non.»

Fait à souligner, approximativement 40% des clients de Guide Dogs for the Blind sont aveugles à cause de leur diabète. Éventuellement, Mark souhaite entraîner des chiens pouvant alerter les maîtres aveugles lorsqu'ils sont en hypoglycémie.

«Présentement, nous pouvons utiliser le même outil, qui est le chien, afin d'aider à prévenir la cécité, conclut-il. Le fait de devenir aveugle est l'une des principales complications du diabète. Jusqu'à maintenant, les quelque 100 chiens d'assistance que nous avons formés aident énormément les personnes diabétiques. Je vous dirais même que nos chiens sauvent des vies.»

«Rochelle a changé nos vies»
Marianne Schmidt

Depuis que Rochelle fait partie de la famille Schmidt, elle a amélioré la qualité de vie non seulement de Kristin, une adolescente de 15 ans qui est diabétique, mais aussi de sa mère Marianne. À plusieurs reprises, le labrador jaune s'est avéré plus précis et plus fiable que n'importe quel glucomètre. Chaque fois, Marianne est étonnée de constater à quel point Rochelle est intelligente et persistante.

«Kristin allait avoir 11 ans lorsque nous avons appris qu'elle était diabétique, raconte Marianne Schmidt. Elle avait perdu du poids en peu de temps et elle avait soif constamment. Dans ma famille, il y a des personnes diabétiques. J'ai alors reconnu les symptômes assez rapidement. Kristin est diabétique au point où elle doit vérifier son taux de glucose jusqu'à 22 fois dans une période de 24 heures. C'est beaucoup. Elle doit vérifier non seulement les hausses, mais aussi les baisses de sucre dans son sang. Kristin doit également porter une pompe à insuline en permanence. C'est ainsi qu'elle reçoit de l'insuline. Ma fille doit toujours être prudente car son taux de sucre peut baisser de façon drastique. Je me souviens d'un incident où son taux de sucre était tellement bas qu'elle a fait une crise d'hypoglycémie. Nous avions dû lui donner une injection de Glucagon. »

Même si Kristin s'est adaptée rapidement à sa condition, elle espérait ardemment acquérir son indépendance. À cause de ses fréquentes baisses de sucre, elle ne pouvait pas être seule quand elle faisait de la gymnastique ou lorsqu'elle allait dormir chez des copines. Sa mère devait constamment être avec elle. C'était difficile pour une adolescente d'accepter le fait que sa mère soit presque toujours à ses côtés. Mais tout a changé quand Rochelle est entrée dans leur vie.

«Bien que Rochelle nous prévenait durant le jour des hausses et des baisses de sucre de Kristin, je croyais qu'il faudrait un certain temps avant qu'elle ne le fasse durant la nuit, de poursuivre Marianne. Je n'oublierai jamais la première fois que Rochelle est venue m'alerter en pleine nuit pour me signifier que quelque chose n'allait pas. Je me suis levée et j'ai vérifié le taux de sucre de Kristin à l'aide d'un glucomètre. Tout semblait normal. Je suis donc retournée dans ma chambre et j'ai programmé mon réveille-matin afin qu'il sonne vingt minutes plus tard. Mais Rochelle n'était pas d'accord. Elle s'est mise à pleurnicher et à me donner des coups de museau. J'ai donc vérifié à nouveau le taux de glucose de ma fille. À ma grande surprise, il avait chuté drastiquement en l'espace de quelques minutes. Par conséquent, j'ai donné des comprimés de glucose à Kristin. Rochelle a reçu un morceau de dinde et plusieurs bisous. Cependant, Rochelle ne voulait toujours pas que je retourne dans mon lit. Encore une fois, j'ai vérifié le taux de sucre de Kristin. Il avait encore chuté au lieu de monter. J'ai donc de nouveau donné des comprimés de glucose à Kristin et, bien sûr, un autre morceau de dinde à Rochelle. Puis, j'ai attendu patiemment. Finalement, vers deux heures du matin, Rochelle a poussé un soupir de soulagement. Quelques minutes plus tard, j'ai constaté que le taux de sucre de Kristin était revenu à la normale. Nous pouvions dormir en paix.»

Lors d'une compétition de gymnastique, Marianne a vu Rochelle qui s'était mise à alerter alors que Kristin se trouvait à environ 12 mètres (39.37 pi.) du chien. Le chien d'assistance s'était levé et avait alerté l'entraîneur en prenant son *bringsel* dans sa gueule et en pleurnichant.

En plus de la gymnastique, Kristin fait de l'entraînement d'endurance à raison de deux fois par semaine. Ce genre d'exercice est extrêmement rigoureux et le taux de sucre de Kristin baisse toujours.

«Un samedi matin, j'ai conduit Kristin au centre d'entraînement et j'ai décidé de l'attendre dans la voiture en compagnie de Rochelle, relate Marianne. Ce matin là, le taux de sucre de ma fille était élevé. Elle devait donc être en mesure de passer la matinée sans problème. Environ dix minutes plus tard, alors que la fenêtre du véhicule était baissée, Rochelle s'est mise à alerter. Elle insistait en prenant son *bringsel* et en pleurnichant. Ma fille était dans le gymnase et j'étais garée près d'un lave-auto où l'on pouvait sentir des produits chimiques. Je ne savais pas quoi penser. Je me suis rendue à l'intérieur du gymnase et j'ai vérifié le taux de sucre de ma fille. Il avait chuté de plus de la moitié. J'étais sidérée! Une fois de plus, Rochelle venait de nous sauver d'un désastre. Elle est incroyable! Je suis souvent étonnée de constater à quel point elle est intelligente et persistante. Dans bien des cas, Rochelle s'est avérée être beaucoup plus précise et beaucoup plus fiable que n'importe quel glucomètre que nous avons eu.»

La famille Schmidt demeure à Forestville en Californie. À présent, Marianne éprouve moins d'inquiétude pour sa fille Kristin. Grâce à son chien d'assistance, l'adolescente a acquis cette indépendance qu'elle désirait tant. Après l'école, elle peut se rendre seule à ses cours de gymnastique ou encore aller dormir chez des copines. Elle n'a plus besoin de sa mère pour

Rochelle alerte en classe de gymnastique.

Kristin en compagnie de sa famille et de Rochelle.

veiller sur elle à cause de son état de santé. C'est Rochelle qui a pris la relève. Elle peut suivre sa maîtresse partout où elle va. À l'école, elle se couche près du pupitre de Kristin et l'avertit quand son taux de sucre fluctue. Évidemment, les étudiants et les professeurs adorent Rochelle. Lorsque la chienne est à l'extérieur de la maison, elle doit toujours porter son dossard. Dans les endroits publics, bien des gens sont intrigués et ils posent beaucoup de questions à Kristin. Quand ils apprennent que Rochelle est un chien d'assistance pour personnes diabétiques, ils sont surpris. Plusieurs personnes ignorent l'existence de ces chiens.

«Avant que Rochelle ne fasse partie de notre famille, j'étais désespérée, se souvient Marianne. J'étais inquiète quant à l'avenir de ma fille. Je me demandais comment elle arriverait à mener une existence normale. J'ai fait des recherches sur Internet pour trouver de l'aide ou une solution quelconque et j'ai trouvé par hasard Dogs for Diabetics. J'ignorais l'existence de ces chiens d'assistance. Peu de temps après avoir communiqué avec les responsables de cet organisme, nous avons commencé le programme. C'était en 2008. Rochelle a maintenant cinq ans. Nous avons eu beaucoup de chance. À présent, je vis beaucoup moins d'anxiété. Je crois aussi que ma fille est plus heureuse. Rochelle a changé nos vies pour le mieux.»

«Lawton est notre super héros»
Meri Schuhmacher

Meri Schuhmacher est la mère de quatre garçons dont trois sont atteints de diabète de type 1. Grâce à Lawton, la famille mène une vie un peu plus normale et Meri peut maintenant dormir une nuit complète, ce qu'elle n'avait pas pu faire pendant… huit ans!

Jack, 13 ans, Ben, 9 ans et Luke, 7 ans, sont atteints de diabète. L'aîné de la famille, Max, 15 ans, est le seul à ne pas avoir le diabète. Tout a commencé en 1998 alors que Jack, qui avait 8 mois, était très malade. Il a fallu des mois avant que les médecins puissent savoir que le bébé avait le diabète.

«Jack perdait du poids et il urinait tellement que sa couche tombait par terre, se souvient Meri Schuhmacher. Il avait du muguet et des éruptions cutanées dans la bouche. Malgré de nombreuses visites à l'hôpital, nous ne savions pas ce qu'il avait. Un jour, Jack a eu une acidocétose. Il vomissait et respirait difficilement. Nous l'avons rapidement amené à l'urgence de l'hôpital. Le lendemain, nous avons reçu le diagnostic. Quant à nos deux autres garçons atteints de diabète, nous l'avons su assez tôt car nous connaissions les symptômes. À la suite de tests médicaux, ils ont été pris en charge rapidement.»

Les trois garçons ont des pompes à insuline qui sont fixées à eux en tout temps. Ils doivent vérifier leur taux de glycémie de huit à dix fois par jour. Ils n'ont qu'à appuyer sur un bouton et l'appareil calcule la quantité d'insuline dont ils ont besoin.

«C'est constamment une question d'équilibre, explique Meri. S'ils reçoivent trop d'insuline, ils pourraient s'évanouir. Si leur glycémie est trop basse, ils pourraient avoir des convulsions et tomber dans le coma. C'est terrifiant. Surtout quand on a des jeunes qui courent souvent. Il faut comprendre que l'exercice fait baisser le taux de sucre dans le sang. C'est donc très délicat d'encadrer des jeunes. Ce sont dans ces moments-là que notre chien Lawton entre en jeu. Quand l'un de mes garçons présente un taux de glycémie à la baisse, notre chien me le fait savoir. Et si, par malheur, l'un d'eux a oublié de s'injecter de l'insuline lors du repas de fin de journée, il m'en avertit également.»

Ainsi, dès que le labrador blond détecte cette odeur que les chiens d'assistance pour personnes diabétiques reconnaissent tous, il s'assoit devant Meri et pointe ses oreilles. Il la regarde de façon très intense. Si Meri ne porte pas attention à lui, il pose son museau sur ses genoux. Durant la nuit, Lawton veille sur les trois garçons. Si l'un d'eux présente une baisse ou même une hausse de glycémie, il va réveiller Meri en lui léchant le visage.

«Nous avons Lawton depuis trois ans, indique-t-elle. Je peux maintenant dormir en paix car je sais pertinemment qu'il va venir me réveiller s'il y a un problème. Avant la venue de notre chien dans la famille, je dormais très peu ou pas du tout. Chaque soir, je m'inquiétais à savoir si je leur avais donné trop d'insuline. Le diabète, ce sont des mathématiques. Il faut constamment calculer et, au besoin, savoir administrer la bonne dose! »

Meri avoue que Lawton a complètement changé sa vie. Depuis que ce formidable chien fait partie de la famille, elle éprouve moins d'anxiété. «Je sais que je peux faire confiance à Lawton, ajoute-t-elle. Pour lui, la détection est un jeu. Chaque fois qu'il détecte correctement, il obtient une gâterie. Lawton est un véritable glouton. Il ferait tout pour avoir des gâteries. Alors, je vous jure qu'il ne manque jamais une alerte. Nous sommes très fiers de Lawton et de ce qu'il fait pour nous. Il est notre super héros.»

Lawton n'a pas encore commencé à accompagner les enfants à l'école. Il faut dire que leur situation familiale est particulière. Il n'y a pas un seul, mais bien trois enfants diabétiques. Meri ne voudrait pas que le chien d'assistance se lie à un seul de ses enfants. Idéalement, il faudrait trois chiens d'assistance au sein de cette famille.

C'est grâce à une amie que Meri a appris qu'il existe des chiens d'assistance pour les enfants et pour les adultes diabétiques. «Ça faisait longtemps que mes garçons voulaient un chien, mais j'estimais que j'en avais assez sur les bras, raconte Meri. Je me suis dit: «Si un chien d'assistance peut m'aider, pourquoi pas!» J'ai donc communiqué avec Dogs for Diabetics pour m'inscrire à leur programme. Nous demeurons à Petalauma en Californie. Quelques mois plus tard, pendant que nous suivions les étapes du programme, nous avons appris que Ben était atteint du diabète lui aussi. Ironie du sort, il était très content d'apprendre la nouvelle car il savait que le chien serait pour lui aussi, pas seulement pour Jack et Luke.»

Meri est très reconnaissante envers Dogs for Diabetics. Elle encourage le grand public à aider financièrement cet organisme qui donne des chiens d'assistance.

«Les personnes qui œuvrent au sein de cet organisme sont formidables, mentionne-t-elle. Lawton vaut des dizaines de milliers de dollars et nous n'avons rien payé. Il est parfait.

Les garçons Schuhmacher et Lawton.

Il a été entraîné à nous faciliter la vie. Lawton est comme le meilleur ami des enfants. C'est réconfortant pour eux de savoir que quelqu'un veille sur eux. Les garçons savent très bien ce qui pourrait se produire advenant le cas où leur taux de glycémie deviendrait très bas durant la nuit. Ils pourraient ne jamais se réveiller. C'est terrible, mais Lawton nous apporte la tranquillité d'esprit. Il est notre sauveur et notre super héros. De toute évidence, il a changé nos vies, qui étaient compliquées, pour nous les rendre plus endurables et un peu plus normales.»

Notons que Meri Schuhmacher et son conjoint ne sont pas diabétiques. Dans la famille proche, seul le frère de Meri est diabétique.

«Colton est comme mon ange gardien»
Mei Mei McComb

«Aujourd'hui, c'était ma première journée d'école avec mon chien, raconte fièrement Mei Mei McComb, une charmante petite fille de 12 ans, en cette soirée du 16 octobre 2009. En classe, pendant que j'étais assise à mon pupitre, Colton s'est couché à mes côtés. Malgré les allées et venues des autres élèves, il est demeuré calme. Pendant le cours d'éducation physique, il a couru avec moi. C'était amusant!»

Mei Mei fait partie des rares enfants diabétiques à posséder un chien d'assistance. Elle a reçu Colton en août 2008 alors qu'elle avait presque 11 ans. Colton est moitié labrador, moitié retriever. Il a eu deux ans et demi en octobre 2009. Pour Mei Mei, dont le prénom signifie «petite sœur» en chinois, c'est un cadeau du ciel que d'avoir reçu ce formidable chien.

«Il est si beau mon Colton, dit-elle. Il est comme mon ange gardien. Il me suit partout où je vais et il peut m'aider n'importe quand. Il faut dire que Colton est un chien spécial car il est un chien d'assistance. Depuis qu'il est dans ma vie, il peut détecter mon taux de sucre, qu'il soit trop bas ou trop élevé. Pour me le faire savoir, il enlève un bout de tissu qui se trouve attaché à son cou, le met dans sa gueule et fait une danse. S'il n'a pas réussi à capter mon attention, il met ses pattes sur mes cuisses et fait des mimiques. C'est incroyable! Au pire, s'il n'a toujours pas réussi à attirer mon attention, il se met à japper. Par la suite, je dois vérifier mon taux de glucose à l'aide d'un glucomètre. »

Même durant la nuit, Colton veille sur Mei Mei. Quand le taux de sucre de la jeune fille est trop bas, il la réveille. S'il n'y arrive pas, il s'empresse de réveiller sa mère. Mei Mei doit ensuite vérifier son taux de sucre à l'aide d'un glucomètre et pallier la situation. Quand son taux de sucre est trop bas, elle doit consommer des hydrates de carbone ou glucides. Cela agit rapidement, comme du jus ou des fruits. Environ quinze minutes plus tard, elle doit vérifier son taux de glucose à nouveau. Ce processus doit être fait jusqu'à ce que le taux de sucre soit revenu à la normale.

Lorsque le taux de sucre de Mei Mei est trop élevé, elle doit boire de l'eau et faire des exercices. Soit dit en passant, Mei Mei porte une pompe à insuline en permanence.

C'est à l'âge de six ans que Mei Mei a appris qu'elle était atteinte de diabète de type 1. « Nous étions alors en vacances, se souvient Connie McComb, la mère de Mei Mei. Ma fille n'allait pas bien du tout. Elle n'arrivait pas à garder la nourriture qu'elle mangeait. J'avais communiqué avec un médecin par l'entremise d'une ligne d'urgence. Nous avions d'abord cru que c'était un virus de l'estomac que Mei Mei avait attrapé à l'école. En l'espace de quelques jours, ma fille avait perdu beaucoup de poids. À l'hôpital, le médecin a diagnostiqué rapidement qu'il s'agissait du diabète de type 1. Il y a de nombreux enfants qui ont le diabète et qui présentent des symptômes de nausées. Ils ont constamment soif, vont souvent à la toilette pour uriner et perdent beaucoup de poids. Mei Mei présentait ces symptômes. De plus, son taux de sucre était élevé. Je me souviens que Mei Mei était pratiquement dans le coma lorsqu'elle a été diagnostiquée diabétique. Elle avait de la difficulté à parler. À l'hôpital, après lui avoir administré de l'insuline, ce fut un miracle! L'état de ma fille s'est tout de suite amélioré! »

Par la suite, Connie McComb a dû quitter son emploi pour s'occuper de sa fille. Elle devait vérifier le taux de sucre de

Mei Mei pratiquement toutes les deux heures. Cela signifiait qu'elle devait se rendre à l'école régulièrement, vérifier le taux de sucre de sa fille et lui administrer de l'insuline au besoin. Avec le temps, Mei Mei s'est retrouvée avec une pompe à insuline en permanence. Puis, elle s'est mise à vérifier elle-même son taux de sucre. Elle pouvait aussi compter sur l'aide d'un professeur.

Le temps a passé. Un jour, Connie McComb et sa fille se trouvaient à un camp d'été. Elles ont vu des chiens d'assistance pour personnes diabétiques. «Évidemment, Mei Mei m'a dit qu'elle désirait en avoir un, dit Connie McComb en souriant. J'ai donc fait des recherches sur Internet et j'ai trouvé Dogs for Diabetics. J'ai envoyé un courriel à cet organisme à but non lucratif pour savoir si nous pouvions obtenir un chien d'assistance pour un enfant diabétique. J'ai discuté avec les responsables et, quelques mois plus tard, nous avons reçu Colton. Ce chien est une véritable bénédiction car je sais qu'il veille sur ma fille jour et nuit. Étant donné l'état de santé de Mei Mei, nous demeurons tout de même vigilants. Par contre, je suis moins inquiète car j'ai été témoin à plusieurs reprises des facultés extraordinaires de ce chien.»

«J'ai plus de liberté depuis que j'ai mon chien d'assistance, ajoute Mei Mei. Colton me donne plus d'indépendance. Je peux être avec mes amies plus souvent. Colton et moi, nous formons une équipe. Il peut me suivre partout, soit à l'école, dans les restaurants, les magasins, etc. Le matin, je lui donne à manger. Puis, on va à l'école ensemble. Il y a d'ailleurs des règlements à l'école. Les autres élèves n'ont pas le droit de lui toucher ni de jouer avec lui. Même chose pour les professeurs. Tout le monde aime mon chien, mais plusieurs disent que c'est dommage de ne pas pouvoir le caresser.»

Selon Mei Mei, toutes les personnes diabétiques devraient avoir un chien d'assistance. «Ce serait chouette pour les personnes âgées car elles n'auraient pas à se fier sur les autres personnes pour leur bien-être, conclut-elle. Elles auraient plus d'indépendance. Ce serait bien pour les jeunes également car leurs parents seraient moins inquiets.»

Mei Mei et Colton.

«Nicolina m'a sauvé la vie»

Sisi Belcher

Depuis trois ans, Nicolina, un remarquable labrador, veille sur sa maîtresse, Sisi Belcher, et ce, 24 heures sur 24, 7 jours sur 7. Bien que Sisi porte une pompe à insuline munie d'une alarme, sa chienne lui fait savoir quand son taux de sucre est trop bas ou trop élevé avant même que le détecteur ne sonne.

«Nicolina est extraordinaire, souligne Sisi Belcher. L'année dernière, elle m'a sauvé la vie. Je revenais d'un petit voyage et mon automobile se trouvait dans le stationnement de l'aéroport. J'avais l'intention de conduire jusqu'à la maison, soit un trajet d'environ quarante-cinq minutes. Après ma sortie de l'avion et au moment même où j'allais récupérer mon véhicule, ma chienne m'a alertée. J'ai vérifié mon taux de glycémie et il était beaucoup trop bas pour conduire mon véhicule. Je n'avais aucune idée que mon taux de glycémie était si bas et, de plus, l'alarme n'avait même pas sonné! Si ma chienne n'avait pas été là pour m'alerter, j'aurais probablement tenté de conduire jusqu'à la maison. Le chemin que je devais prendre pour me rendre jusque chez moi est une route sinueuse dans les montagnes, près de l'océan, dans la région de San Francisco. C'est une route difficile pour tout conducteur et il est impossible, pour un diabétique dont le taux de glycémie est bas, de s'y aventurer sans risquer sa vie. Quand j'y pense, j'en ai des frissons. Nicolina m'a probablement sauvé la vie ce jour-là et je lui en serai toujours reconnaissante.»

Heureusement, la loi permet à Sisi Belcher d'amener son chien d'assistance partout où elle va. Chaque matin, Sisi se rend au travail avec sa chienne en marchant environ un kilomètre. Pendant la journée, Nicolina est couchée sagement près du bureau de sa maîtresse. De retour à la maison, après le repas du soir, Sisi et Nicolina jouent à la balle. Ces activités peuvent sembler banales, mais elles font partie du processus de création du lien d'attachement. Nicolina veille constamment sur Sisi, même durant la nuit.

«Ma chienne est comme un filet de sécurité, explique la dame de 58 ans. Elle m'aide beaucoup concernant mon diabète. Je porte une pompe à insuline avec une alarme. Quand mon taux de glycémie est trop élevé ou trop bas, le détecteur se met à sonner. Si mon taux de sucre est trop élevé, je dois programmer la pompe de façon à recevoir la quantité d'insuline qui abaissera mon taux de glycémie. Si mon taux de sucre est trop bas, je dois alors manger quelque chose pour qu'il s'élève. Les taux de glycémie bas sont les plus dangereux pour moi. L'alarme réagit souvent peu rapidement aux baisses de mes taux de glycémie et, lorsqu'elle sonne, il m'arrive de ne pas l'entendre. Nicolina m'avertit souvent avant l'alarme et je ne peux certainement pas l'ignorer. Elle est formidable!»

Il y a trois ans, soit avant qu'elle ne reçoive son chien d'assistance, Sisi se sentait souvent frustrée en raison de sa maladie. Elle savait qu'il existait des chiens d'assistance pour les personnes épileptiques et se demandait s'il pouvait y en avoir pour les personnes diabétiques. Après avoir fait des recherches sur Internet, elle a découvert Dogs for Diabetics, situé dans la région de San Francisco. Heureusement, ce bureau n'était qu'à une distance de quatre-vingt-dix minutes de la maison. Après avoir passé quelques mois sur la liste d'attente, Sisi a reçu Nicolina.

«J'ai été très chanceuse, tient-elle à préciser. La toute première journée que je l'ai eue, elle m'a fait savoir que j'avais une baisse de sucre considérable. Sa façon d'alerter est très intéressante. Tout d'abord, elle se lève, s'arrête et me regarde dans les yeux de façon intense. Si je ne lui porte pas attention, elle se lamente et me donne un coup de museau ou elle va alerter mon mari pour lui faire savoir que quelque chose ne va pas.»

Aux prises avec le diabète depuis trente-cinq années, Sisi Belcher affirme que sa conception de la vie est meilleure depuis qu'elle possède un chien d'assistance.

«Dogs for Diabetics est un extraordinaire organisme à but non lucratif qui fait un travail superbe pour les personnes diabétiques de type 1, conclut-elle. Cet organisme nous aide à reprendre une vie normale. Vous savez, Nicolina est tout pour moi. Non seulement elle m'aide à me garder en bonne santé, mais elle me rend aussi très heureuse et me fait sourire. Nicolina est aussi une compagne sensationnelle et une bonne amie. Ma chienne est véritablement un membre précieux de notre famille.»

L'utilisation de chiens d'assistance par des personnes diabétiques est un phénomène nouveau et il n'a pas fait l'objet d'études scientifiques jusqu'à maintenant.

Sisi et Nicolina.

Des chiens pour les personnes épileptiques

Il existe deux types de chiens d'assistance pour les personnes épileptiques, soit les chiens d'intervention et les chiens d'alerte de crise. Les chiens d'intervention sont formés pour venir en aide à leur maître lors d'une crise d'épilepsie. Certains d'entre eux deviennent des chiens d'alerte de crise, puisqu'ils alertent leur maître environ une heure ou quelques minutes avant qu'une crise ne survienne. Bien qu'il n'existe pas de preuves scientifiques pour démontrer ou expliquer comment un chien peut anticiper une crise d'épilepsie, un nombre croissant de personnes épileptiques rapportent des anecdotes stupéfiantes concernant leur chien d'assistance.

L'épilepsie

L'épilepsie est une affection chronique du cerveau. Elle se caractérise par des crises récurrentes qui sont la manifestation physique de décharges électriques excessives et soudaines dans un groupe de cellules cérébrales. Les crises peuvent varier en intensité, allant de brèves pertes d'attention ou de petites secousses musculaires à des convulsions sévères et prolongées. La fréquence des crises est variable : de moins d'une fois par an à plusieurs fois par jour. L'épilepsie n'est pas une maladie spécifique. Ce terme ne décrit que l'état des crises récurrentes qui, en retour, peuvent être le résultat de plusieurs états différents du cerveau. L'épilepsie peut se développer à tout âge et c'est le trouble neurologique grave le plus fréquent chez les enfants.

Selon l'Organisation mondiale de la santé, environ 50 millions de personnes en sont atteintes. L'épilepsie peut être traitée dans 70 % des cas environ, mais les trois quarts des personnes affectées dans les pays en développement ne bénéficient pas du traitement dont elles ont besoin. Aux États-Unis, presque trois millions de personnes sont atteintes et environ

200 000 nouveaux cas sont diagnostiqués chaque année. Au Canada, plus de 300 000 personnes en souffrent.

L'épilepsie est l'une des affections les plus anciennement connues de l'humanité. Pendant des siècles, elle a suscité la crainte, l'incompréhension et la discrimination. En Chine et en Inde, on considère que l'épilepsie est un motif d'interdiction ou d'annulation de mariage. Au Royaume-Uni, la loi interdisant aux personnes souffrant d'épilepsie de se marier n'a été abrogée qu'en 1970. Aux États-Unis, jusque dans les années 1970, il était légal d'interdire aux personnes susceptibles d'avoir des crises l'accès aux restaurants, théâtres, centres de loisirs et autres bâtiments publics.

Parmi les autres conséquences psychosociales de l'épilepsie, on trouve des taux accrus de dépressions et de troubles de l'anxiété ainsi qu'un moins grand nombre de mariages, un taux de scolarité supérieure moins poussée ainsi qu'un taux d'emploi plus faible. L'encadrement de tels éléments de la qualité de vie est maintenant reconnu comme une cible importante du traitement de l'épilepsie, et tout particulièrement pour ceux qu'un traitement médical ne peut guérir.

«Grâce à Farley, finies les blessures»
Judy McNulty

Judy McNulty, 55 ans, pourrait aisément décrire sa vie en deux parties : celle avant l'arrivée des chiens d'assistance pour personnes épileptiques et celle après. Grâce à Farley, elle a cessé de se blesser lors de ses crises d'épilepsie. Aussi incroyable que cela puisse paraître, ce chien d'assistance pouvait détecter les crises d'épilepsie de sa maîtresse avant même qu'elles ne surviennent !

«Ma vie a complètement changé avec Farley, affirme Judy McNulty. Il me faisait savoir le matin si j'allais faire une crise d'épilepsie au cours de l'après-midi. Il savait que ce n'était pas une bonne journée pour aller à l'extérieur. Alors je demeurais sagement à la maison. Les matins où Farley ne m'avertissait pas, je savais que c'était une bonne journée et que je ne ferais pas de crise. Je pouvais donc aller faire des emplettes en compagnie de mon fidèle ami.»

Farley alertait sa maîtresse en tournant autour de ses jambes. À l'aide de son museau, il la poussait et insistait pour qu'elle s'asseye. Si Judy refusait de s'asseoir et continuait à marcher, le labrador noir lui bloquait le chemin. Il ne voulait pas non plus qu'elle s'approche d'un escalier. Il lui en bloquait l'accès.

«Dans ces moments là, je devais m'asseoir et attendre que la crise d'épilepsie ait lieu, explique Judy. De cette façon, je ne tombais pas par terre durant une crise pour ensuite me blesser. Je devais surtout reposer ma tête sur un divan. Grâce à Farley, finies les blessures.»

Dans la situation de Judy, il n'y a pas de médicaments à prendre avant ou après une crise d'épilepsie. Elle doit attendre que la crise passe. Bien que Judy doive prendre des médicaments, ceux-ci ne contrôlent pas son épilepsie. Et que faisait Farley pendant l'une de ses crises d'épilepsie?

«D'après ce qu'on m'a dit, il demeurait à mes côtés et me léchait le visage, de répondre la dame. Cela m'aidait à reprendre conscience plus rapidement. Puis, il m'aidait à me rendre dans un endroit plus sécuritaire, par exemple, jusqu'à mon lit. Avec son museau, il me poussait. Je pouvais aussi m'appuyer sur lui. Après une crise d'épilepsie, je dois dormir un peu car je me sens épuisée. Quand je faisais des crises durant la nuit, Farley me réveillait en me léchant le visage. Je devais attendre que la crise passe et ne pas me lever.»

Mais comment Farley arrivait-il à détecter à l'avance les crises d'épilepsie de Judy? «Je ne sais pas exactement ce que Farley détectait, avoue-t-elle. Probablement que je faisais des gestes inhabituels ou peut-être que mon corps dégageait une certaine odeur. Ça pourrait être une combinaison de ces deux facteurs.»

En plus de détecter les crises de sa maîtresse, Farley lui a sauvé la vie à plusieurs reprises. Un jour, alors que Judy était en visite chez son frère, elle décida de prendre un bain. L'eau de la baignoire coulait et Judy prenait son temps pour enlever ses vêtements. Soudain, elle fit une crise d'épilepsie et tomba dans la baignoire. Bien que son chien se trouvât avec elle, la porte était fermée et verrouillée.

« J'ignore comment Farley a fait pour sortir de la pièce, relate Judy, encore stupéfaite. Peut-être qu'à force de sauter dans la porte, le loquet a brisé. Toujours est-il que Farley s'est empressé d'alarmer mon frère et ma belle-sœur qui se trouvaient à l'extérieur de la maison. Il jappait sans cesse. Mes hôtes ont vite fait de me porter secours. J'étais inconsciente et ma tête se trouvait dans l'eau de la baignoire. J'aurais pu me noyer. Une autre fois, Farley m'avait fait savoir que j'allais faire une crise, mais je ne l'ai pas écouté. Je suis tombée par terre et j'ai subi une commotion cérébrale. »

Malheureusement, après avoir subi un accident cérébro-vasculaire à l'automne 2009, Judy a dû se départir de son fidèle ami car il n'était plus le même depuis l'incident. Le regard triste, elle raconte.

« J'étais à la maison au moment où j'ai subi un accident cérébrovasculaire. Farley a été énormément stressé de me voir dans cet état. Ce fut un véritable choc pour lui. Avec le temps, il est devenu hyper protecteur. Personne ne pouvait m'approcher, pas même un chien. Farley était devenu agressif. J'ai communiqué avec une entraîneure de Dog Guides de la Fondation des Lions. Elle est venue nous rendre visite. Elle s'est aperçue que Farley faisait une dépression et qu'il ne pourrait plus jamais travailler comme avant. Ce n'était pas que Farley ne voulait plus travailler, c'est qu'il ne pouvait plus travailler comme avant. En septembre 2009, quand les gens de la Fondation des Lions sont venus chercher Farley, j'ai tellement pleuré. Je n'ai pas pu lui faire mes adieux correctement. Je pleurais sans cesse. Les jours ont passé et je me suis blâmée d'avoir eu cet accident cérébrovasculaire. Pour amenuiser ma peine, j'ai écrit une lettre à Farley. Bien sûr, je ne la lui ai pas envoyée, mais je devais le faire pour moi-même. Le deuil est fort difficile à vivre. J'étais en symbiose avec Farley. Il était une partie de moi-même. »

Judy avait reçu gratuitement Farley de la Fondation des Lions alors qu'il avait un an et demi. C'était en 2004. La dame et le magnifique labrador noir ont donc fait un bout de chemin ensemble, soit pendant cinq ans. Judy affirme qu'elle sera toujours reconnaissante d'avoir vécu avec ce chien hors du commun. Grâce à lui, le nombre de crises d'épilepsie avait diminué. Elle se sentait moins stressée car elle savait que Farley veillait sur elle. Par conséquent, il y avait des journées où elle ne faisait pas de crise.

Depuis le 3 décembre 2009, Judy a un nouvel ami. Il s'agit de Veto, un très beau golden retriever d'un an et demi. La Fondation des Lions n'a donc pas mis beaucoup de temps pour attribuer un autre chien d'assistance à Judy. Lors de notre entretien avec la dame, en janvier 2010, elle et son nouveau compagnon apprenaient à s'apprivoiser l'un l'autre.

« Je ne sais pas si Veto détectera les crises d'épilepsie à l'avance, comme Farley le faisait, dit-elle. Ce ne sont pas tous les chiens d'assistance qui arrivent à faire cela. Veto et moi, ça ne fait pas longtemps que nous sommes ensemble. Il faut se donner du temps. Je l'aime déjà beaucoup. Farley restera toujours dans mon cœur, mais il y a une place pour Veto. »

Et qu'est-il advenu de Farley ? Il a pris sa retraite. Il vit maintenant à Toronto chez un couple ayant huit enfants. La maison est vaste et Farley possède sa propre chambre et sa propre piscine. Et surtout, les enfants adorent Farley. Quoi de mieux pour un chien à la retraite !

« Farley est choyé et il le mérite, insiste Judy. En sachant qu'il est bien traité, ça m'aide à faire mon deuil. J'ai maintenant Veto et ça me console. »

Judy en est à son troisième chien d'assistance. Le premier s'appelait Deegan, un labrador noir. C'était en 2001. La dame et Deegan ont fait équipe pendant seulement dix-huit mois. L'animal avait eu un premier maître auparavant et il ne voulait plus travailler.

Judy a appris l'existence des chiens d'assistance pour personnes épileptiques en regardant une émission de télévision américaine où il en était question. Par la suite, elle a fait des recherches sur Internet. C'est ainsi qu'elle a découvert la Fondation des Lions, située à Oakville, en Ontario. Quelques mois après avoir fait une demande, Judy a reçu son premier chien. Depuis ce temps, elle a une excellente collaboration avec la Fondation des Lions.

Le fait d'avoir un chien d'assistance change-t-il quelque chose à l'épilepsie ? « Mon état de santé demeure le même, mais ma qualité de vie s'en trouve améliorée, souligne-t-elle. La différence entre ma vie avant d'avoir un chien d'assistance et celle d'après est incroyable. À présent, je peux mettre le nez dehors quand je veux. Je n'ai plus à attendre que quelqu'un vienne avec moi. Je peux aussi prendre l'autobus, aller faire l'épicerie et quelques emplettes. C'est complètement une autre existence. C'est merveilleux ! Avec un chien d'assistance, je ne me blesse plus lorsque je fais des crises car celui-ci m'alerte à l'avance. Du moins, c'était le cas avec Farley. Si vous saviez le nombre de fois où je me suis blessée en tombant. Je ne sens pas venir la crise d'aucune façon. Je perds conscience et je tombe par terre. »

C'est à l'âge de 14 ans que Judy a commencé à faire des crises d'épilepsie. « J'avais des problèmes à l'école, se souvient-elle. Les gens ignoraient ce qu'est l'épilepsie. Ils avaient peur de moi, que ce soit les professeurs ou les étudiants. Le temps a passé. J'ai eu des emplois, mais on me demandait de quitter à cause de mes crises. »

Avant de connaître les bienfaits d'un chien d'assistance, la vie de Judy se résumait à demeurer à la maison. C'est ce que lui avait conseillé son médecin, puisqu'elle faisait de nombreuses crises d'épilepsie.

« Si j'allais à l'extérieur, je pouvais tomber au beau milieu de la rue, mentionne-t-elle. Combien de fois j'ai failli me faire heurter par des camions, des autobus, des voitures ! J'ai subi des commotions cérébrales et des blessures à la tête très souvent. Mes nombreuses cicatrices sur le crâne peuvent en témoigner. Lorsque je tombais par terre dans un lieu public, personne ne venait me porter secours. Quand je reprenais conscience, j'étais blessée et seule. Je devais me débrouiller seule pour retourner chez moi. Si je désirais aller à l'extérieur, je ne pouvais pas m'y rendre seule. J'étais dépendante de mes amies et je m'ennuyais beaucoup de demeurer à la maison. Ma vie se résumait à lire et à regarder la télévision. Ce n'était pas une vie. »

Bien que Judy puisse maintenant bénéficier d'un chien d'assistance, elle n'est pas pour autant au bout de ses peines.

Judy et Veto.

La dame demeure à Montréal et les chiens d'assistance pour personnes épileptiques ne sont pas encore très connus. Par conséquent, Judy se fait parfois refuser l'accès à un lieu public.

«Il y a quelques années, les gens étaient davantage ignorants de cette maladie, de constater Judy. À Montréal, même si Farley avait son dossard démontrant qu'il était un chien d'assistance, bien des commerçants venaient me voir pour me poser des questions. Il voulait voir une carte d'identité spécifiant que Farley était bien un chien d'assistance. Par conséquent, ils ne pouvaient pas me refuser l'accès aux endroits publics. Cependant, il y avait des règlements à suivre. On me demandait de faire mes emplettes et de quitter les lieux tout de suite après. Dans les épiceries, il y avait aussi des gens qui faisaient des plaintes au gérant. Ils disaient qu'un chien n'a pas sa place dans une épicerie et que ce n'est pas hygiénique. Je me souviens aussi d'un restaurant où l'on m'a refusé l'accès parce que j'étais accompagnée de mon chien. Même si je leur avais expliqué qu'il s'agissait d'un chien d'assistance et que ces chiens ont le droit de se trouver dans les endroits publics, on m'avait mise à la porte. J'avais alors porté plainte à la Commission des droits de l'homme. Cela a porté fruits. Le propriétaire du restaurant a finalement compris ma situation.»

Malgré l'ignorance de certaines personnes, Judy n'en est pas moins heureuse. Plus encore, elle se sait privilégiée d'avoir un chien d'assistance car sa qualité de vie s'est grandement améliorée. Elle est surtout très reconnaissante envers la Fondation des Lions du Canada.

«Ashton anticipe mes crises d'épilepsie»
Lesleigh Hiscock

En 2001, la vie de Lesleigh Hiscock a basculé lorsqu'elle a commencé à faire des crises d'épilepsie. Bien qu'elle menait une vie active, elle a dû quitter son travail et s'est isolée peu à peu. Mais depuis que Ashton fait partie de son existence, la dame de 43 ans a repris goût à la vie.

«J'ignore pourquoi les crises d'épilepsie ont débuté, dit-elle. Je n'ai pas eu d'accident et j'étais en bonne santé. Avant que les crises ne surviennent, je vivais à Toronto. J'étais mariée et j'adorais mon travail. J'étais chef-cuisinière. À cause de mon état, j'ai dû quitter mon travail et retourner vivre dans ma ville natale à Terre-Neuve, entourée de ma famille.»

Avant une crise d'épilepsie, Lesleigh n'a aucun avertissement. Au cours des deux premières années, elle s'est souvent blessée lors de ses crises d'épilepsie car elle tombait subitement par terre. Elle s'est même déjà fracturée la mâchoire en allant chercher son courrier devant la maison. Bien que Lesleigh doive prendre des médicaments, ils ne contrôlent pas les crises.

«J'étais malheureuse, se souvient-elle. Sans le vouloir, je m'isolais et je menais une vie ennuyante. Un soir, en regardant une émission de télévision, j'ai appris qu'il existait des chiens d'assistance pour les personnes épileptiques. J'étais étonnée! Le lendemain, en allant faire des emplettes, j'ai croisé un homme aveugle avec son chien-guide. Je lui ai demandé où je pouvais bien me procurer un chien d'assistance. Il m'a transmis les coordonnées de Dog Guides de la Fondation des Lions. Vous savez, je suis très croyante. Je pense que c'est une intervention du bon Dieu si j'ai vu cette émission télévisée, puis ensuite rencontré cet homme aveugle qui m'a donné les coordonnées de Dog Guides!»

Lesleigh était heureuse à l'idée de pouvoir obtenir un chien d'assistance, mais il y avait une liste d'attente de deux ans. Sans se décourager pour autant, elle a insisté auprès des gens de Dog Guides en leur envoyant des photos de ses blessures ainsi que toutes les informations médicales à son sujet. Quelques mois plus tard, Lesleigh a appris qu'elle était acceptée.

«Ashton et moi vivons ensemble depuis quatre ans déjà, affirme-t-elle, le regard étincelant. Il a maintenant six ans. C'est mon grand ami et il me rend si heureuse. Je l'adore. J'ai un ami de cœur, mais il passe après mon chien. Grâce à Ashton, je mène une vie normale, malgré l'épilepsie.»

Comme tous les chiens d'assistance pour les personnes épileptiques, Ashton a été entraîné à réagir lors d'une crise d'épilepsie, c'est-à-dire à japper pour attirer l'attention des personnes autour. Toutefois, Lesleigh affirme que le labrador noir est en mesure d'anticiper ses crises d'épilepsie dans 80% des cas.

«Deux semaines après l'arrivée de mon chien, je croyais qu'il jappait parfois sans raison, raconte-t-elle. Quelques instants plus tard, je me réveillais couchée sur le sol. J'ai alors réalisé qu'il tentait de m'avertir lorsqu'une crise était sur le point d'avoir lieu. Probablement qu'il y a des changements chimiques qui se produisent dans mon sang avant une crise d'épilepsie et que je dégage une certaine odeur pour mon chien. Voilà pourquoi il est en mesure de sentir ou de détecter une crise avant qu'elle ne survienne. »

Par conséquent, quand Ashton se met à aboyer, Lesleigh doit se coucher et attendre que la crise passe. Avec le temps, Lesleigh et Ashton sont devenus en symbiose. La dame ne sort jamais sans son chien d'assistance. Elle porte une ceinture et une laisse la relie à son meilleur ami.

«Je peux aller à l'extérieur et je n'éprouve pas d'inquiétude car je sais que Ashton veille sur moi, explique-t-elle. Par contre, je prends garde de ne pas sortir trop tard le soir. Je me souviens d'un soir où j'étais à l'extérieur et que j'ai fait une crise d'épilepsie. Je me suis littéralement effondrée sur le trottoir. D'après ce qu'on m'a dit, Ashton aboyait sans cesse. Des gens ont alors appelé une ambulance. Les ambulanciers connaissent d'ailleurs Ashton. À présent, c'est très rare que je fasse une crise d'épilepsie en public car mon chien m'alerte à l'avance, disons quinze minutes avant que la crise ne se manifeste. J'ai donc le temps de me rendre chez moi en toute sécurité. Depuis que Ashton est dans ma vie, j'éprouve moins de stress. Grâce à lui, j'ai retrouvé la liberté, la sécurité et la joie de vivre.»

Lesleigh n'oubliera jamais sa première rencontre avec Ashton lors du jumelage chez Dog Guides, en Ontario. D'abord, Lesleigh est arrivée deux jours en retard car son père venait de mourir d'un cancer. Ashton était considéré comme le «mauvais garçon» de sa classe car il n'obéissait pas toujours aux commandements.

«Il y a eu une connexion immédiate entre lui et moi, se souvient Lesleigh. En le voyant, je savais qu'il deviendrait mon meilleur ami. J'ai été attirée par son tempérament très relaxe. Ce fut une expérience formidable. Les entraîneurs sont fantastiques.

Josh, Lesleigh et Ashton.

Ils m'ont appris tout ce que je dois faire avec mon chien. Ma mère, Ashton et moi, nous avons pris l'avion pour notre retour à la maison, à Terre-Neuve. Ce fut une journée mémorable. »

Lesleigh regrette cependant que son père n'ait pas pu vivre suffisamment longtemps pour connaître Ashton.

« Quand mon père est décédé, je n'ai pas pu aller le voir à l'hôpital, dit-elle, la gorge serrée par l'émotion. J'avais fait une crise d'épilepsie et j'étais dans un autre hôpital à cause de mes blessures. Si vous saviez à quel point j'ai eu du chagrin de ne pas pouvoir dire un dernier au revoir à mon père. Il savait que j'étais en attente pour un chien d'assistance. Quelques jours avant son décès, je lui avais rendu visite dans une maison de soins palliatifs. Ce jour-là, j'ai fait une crise d'épilepsie en sa présence. Malgré sa grande faiblesse, mon père a été capable de retenir ma tête entre ses mains pour ne pas que je tombe et que je me blesse. Il me manque beaucoup, mais je sais qu'il veille sur moi. »

D'autre part, Lesleigh soutient que son chien est comme un filet de sauvetage qui a complètement changé sa vie.

« À cause de l'épilepsie, plusieurs portes se sont fermées dans ma vie, conclut-elle. Mais cette vie est derrière moi car Ashton m'a ouvert d'autres portes. Depuis qu'il fait partie de mon existence, je suis devenue indépendante. Je ne crains plus de me blesser à tout moment à cause d'une crise. En fait, je ne me blesse pratiquement plus depuis l'arrivée de Ashton. Sans lui, je ne suis pas certaine que j'aurais eu la force morale et physique de continuer à vivre avec l'épilepsie. Honnêtement, je vivrais à nouveau toutes ces souffrances que j'ai endurées pour avoir ce chien dans ma vie. »

« Josh est mon intervenant paramédical »
Derrick Kilfoy

À 53 ans, Derrick Kilfoy bénéficie désormais de la protection de Josh lorsqu'il a une crise d'épilepsie. Pour Derrick, Josh n'est pas seulement un chien d'assistance, mais aussi son meilleur ami. Celui-ci a même fait partie des principaux témoins à l'occasion du mariage de son maître en juillet 2010.

Dès l'âge de 12 ans, Derrick a commencé à avoir des crises d'épilepsie. Elles avaient lieu rarement, soit environ une fois par année. En 1990, la vie de Derrick a basculé. Alors qu'il était au volant de son véhicule, il fit une crise d'épilepsie. Derrick a ensuite perdu son permis de conduire ainsi que son entreprise en entretien ménager.

«Ça faisait des années que je n'avais pas eu une crise d'épilepsie, dit-il. J'avais ma propre entreprise, des employés et plusieurs véhicules. Les affaires étaient bonnes, mais je ne pouvais plus conduire pour faire mon boulot.»

Chaque fois que Derrick sortait seul, il éprouvait une certaine crainte. Lorsqu'il avait une crise d'épilepsie, il n'y avait personne pour lui venir en aide. Il reprenait conscience, allongé sur un trottoir ou dans la rue, complètement confus et parfois blessé.

C'est en lisant un article de journal sur Lesleigh Hiscock que Derrick Kilfoy a appris l'existence des chiens d'assistance pour les personnes épileptiques. Peu de temps après, il a rencontré Lesleigh par hasard dans un commerce.

«Lesleigh m'a parlé de son chien Ashton ainsi que de la Fondation des Lions. L'idée d'avoir un chien d'assistance me semblait très appropriée et mon neurologue était du même avis, puisque mes crises étaient devenues plus fréquentes. Après avoir fait des démarches auprès de la fondation, j'ai appris que j'étais accepté au programme et que mon nom était sur une liste d'attente. C'était en juin 2008. En septembre de la même année, j'ai reçu un appel m'informant qu'une classe débutait en novembre. J'étais fou de joie! Je croyais devoir attendre pendant des années avant d'obtenir un chien d'assistance! »

Derrick et Josh font équipe depuis novembre 2008. À présent, Derrick n'est plus inquiet lorsqu'il doit aller à l'extérieur car Josh est son fidèle protecteur. Le magnifique labrador noir sait exactement quoi faire lorsque son maître a une crise d'épilepsie.

«Josh est mon intervenant paramédical, affirme-t-il en souriant. Quand je tombe par terre lors d'une crise, il me place en position de récupération. À l'aide de son museau, il

Derrick et Josh.

pousse mon corps afin de m'installer sur le côté. Par la suite, il se met à japper jusqu'à ce que je reprenne conscience ou jusqu'à ce que les secours arrivent. Et surtout, Josh demeure constamment à mes côtés. Quand les ambulanciers viennent me chercher ainsi allongé sur un trottoir ou ailleurs dans un endroit public, Josh m'accompagne dans l'ambulance. Si la crise se produit alors que je suis à la maison, il m'apporte le téléphone dès que je reprends conscience.»

Après une crise d'épilepsie, Derrick ressent un horrible mal de tête. Pendant vingt-quatre heures, il n'est pas en mesure de faire quoi que ce soit. À Saint-Jean de Terre-Neuve, là où il demeure, il se fait souvent aborder dans les endroits publics. Les gens sont curieux de connaître les fonctions de Josh. Le maître et le chien commencent même à être connus.

«Quand je vais à la pharmacie pour acheter mes médicaments et que ma conjointe m'accompagne, je n'amène pas nécessairement Josh. Les gens sont alors déçus parce qu'il n'est pas avec moi.»

Josh occupe une place significative dans la vie de Derrick. À preuve, lors de son mariage en juillet 2010, le fidèle labrador portait un *toxedo* expressément fait pour lui.

«Je continue à avoir des crises d'épilepsie, mais j'ai maintenant mon protecteur, de conclure Derrick. Josh est un chien absolument extraordinaire. Je recommande à toute personne épileptique d'avoir un chien d'assistance. Ce sont des anges à quatre pattes.»

Fondation des Lions du Canada

Depuis 1990, la Fondation des Lions du Canada forme des chiens d'assistance dans différents programmes, dont des chiens d'assistance pour les personnes épileptiques.

«Nos chiens sont entraînés à réagir à la crise d'épilepsie, explique Gloria Peckham, entraîneure-chef chez Dog Guides de la Fondation des Lions. Lorsqu'une personne a une crise et qu'elle se trouve dans un endroit public, le chien d'assistance se met à japper pour attirer l'attention des gens. Le dossard que le chien porte aide à bien identifier la personne épileptique car même les policiers pourraient croire que la personne est saoule. Si la personne épileptique doit être conduite à l'hôpital en ambulance, le chien doit embarquer avec elle. Quand une crise a lieu à la maison, le chien est entraîné à aller chercher un téléphone sans fil et à le remettre à son maître. Certaines personnes épileptiques possèdent un appareil spécialement conçu pour alerter les personnes soignantes. Le chien doit peser sur le bouton de cet appareil lors d'une crise d'épilepsie. De plus, le chien est entraîné à demeurer avec la personne pendant la durée de la crise. Au moment où la personne épileptique reprend conscience, elle peut être désorientée et ressentir un problème d'équilibre. Elle peut alors s'appuyer sur le harnais de son chien.»

Comment expliquer que des chiens d'assistance soient en mesure d'anticiper une crise d'épilepsie avant même qu'elle ne survienne?

«Parmi nos chiens d'assistance pour les personnes épileptiques, un tiers d'entre eux anticipent une crise d'épilepsie bien avant qu'elle ne se manifeste, répond Gloria Peckham. Nous ne savons pas encore comment ils arrivent à faire cela. Nous ignorons ce qu'ils ressentent. C'est peut-être une odeur corporelle que la personne épileptique dégage ou encore des gestes inhabituels. Certains chiens avertissent leur maître environ une heure à l'avance. Pendant l'entraînement des chiens au centre, certains d'entre eux commencent déjà à détecter des crises. Lors d'un entraînement, je me souviens d'un golden retriever qui était jumelé à une jeune fille de 18 ans. Le chien a commencé à s'agiter. Je me demandais ce qui se passait. Quelques secondes plus tard, la jeune fille a eu une crise d'épilepsie. Ce n'était pas une coïncidence. Je me souviens aussi d'un jeune homme de 22 ans. Il avait son chien d'assistance depuis seulement deux semaines et celui-ci commençait déjà à détecter ses crises d'épilepsie.»

Chaque année, la Fondation des Lions offre entre 20 et 30 chiens d'assistance pour les personnes épileptiques à travers le Canada. Elle possède son propre élevage de chiens d'assistance. Ce sont pour la plupart des labradors, des golden retrievers et des caniches. Environ trois mois après leur naissance, les chiots sont envoyés dans des familles d'accueil pendant quelques mois.

Lorsqu'ils reviennent chez Dog Guides, ils sont évalués par les entraîneurs au niveau de leur santé et de leur comportement. Les entraîneurs décident alors dans quel programme les chiens pourraient servir. Dans le cas des chiens d'assistance pour les personnes épileptiques, l'entraînement des chiens est d'une durée de six mois environ. Généralement, chaque chien a une valeur de 20 000 $. Ces chiens sont offerts gratuitement aux enfants et aux personnes épileptiques. Ceux qui désirent avoir un chien d'assistance doivent en faire la demande et envoyer un document dûment rempli par un neurologue confirmant qu'ils sont épileptiques. Par la suite, les entraîneurs rencontrent ces personnes afin de bien connaître leurs besoins. Au moment du jumelage entre le maître et le chien, les entraîneurs font l'essai de plusieurs chiens afin d'obtenir le «match» parfait. Le jumelage a lieu chez Dog Guides de la Fondation des Lions. Il s'agit d'un entraînement de trois semaines entre le bénéficiaire et le chien.

Une récente étude menée auprès de 25 diplômés du programme suggère que la presque totalité des participants bénéficient d'une qualité de vie améliorée avec leur chien d'intervention de crise et que tous ces participants recommandent le programme à quiconque est atteint d'épilepsie. Une nouvelle étude explore présentement l'efficacité du programme chez les adolescents aux prises avec l'épilepsie.

Chien d'intervention et chien d'alerte de crise

Comme il est mentionné précédemment, il existe deux types de chiens pouvant aider les personnes épileptiques. Le chien d'intervention réagit lors d'une crise d'épilepsie en apportant son aide de différentes façons. Le chien d'alerte de crise anticipe une crise d'épilepsie et il le fait savoir à son maître avant qu'elle ne se produise. Qu'en pense le milieu scientifique ?

«Il y a très peu d'études sur le phénomène des chiens d'alerte de crise, affirme Adam Kirton, neuropédiatre à l'Alberta Children's Hospital. Les avantages d'un chien d'alerte en cas de crise semblent potentiellement bénéfiques. Si les capacités d'alerte du chien sont réelles, et tout particulièrement si ces capacités peuvent être acquises lors d'un entraînement fiable, des avantages encore plus grands pourraient être obtenus. Par exemple, plusieurs personnes atteintes d'épilepsie non contrôlée signalent que le fait de ne pas savoir quand aura lieu une crise exerce un impact grave sur la qualité de vie. L'avertissement précoce offert par un chien d'alerte pourrait potentiellement libérer les gens de ce fardeau. Bien qu'elles soient limitées, plusieurs petites études suggèrent que de telles habiletés peuvent se développer chez les chiens qui demeurent avec des personnes épileptiques et apporter des améliorations substantielles dans la gestion de leur état de santé.»

Qu'est-ce que les chiens ressentent?

«Il n'y a pas d'étude scientifique à ce sujet actuellement, répond le neuropédiatre. Il y a beaucoup de spéculations quant à savoir à quel moment, précoce ou hâtif, les signes d'une activité de crise dans le cerveau humain sont perceptibles pour le système sensoriel d'un chien. Les théories vont du plausible au ridicule. La principale théorie demeure la détection visuelle des changements subtils du comportement lors des toutes premières étapes d'une crise d'épilepsie.»

Le docteur Adam Kirton rappelle que la domestication du chien a eu lieu il y a environ 10 000 ans, suggérant ainsi les raisons de la familiarité et la grande sensibilité d'un chien à l'égard des mouvements et des comportements de son maître. Si cela est vrai, il semble probable que les programmes d'entraînement par conditionnement, fondés sur les récompenses, pourraient inculquer de telles habiletés chez les chiens d'assistance.

Est-ce que les chiens «ordinaires» ou non entraînés vivant avec des personnes épileptiques peuvent spontanément développer des comportements d'intervention ou d'anticipation des crises?

Selon une étude préliminaire effectuée auprès de plus de 200 enfants atteints d'épilepsie, la réponse est «oui». Parmi les familles de ces enfants, environ 40% avaient un chien. De ce nombre, 40% ont signalé des comportements d'intervention chez leur chien. Pendant ce temps, 40% de ces chiens ont non seulement fait preuve de comportement d'intervention, mais également d'anticipation.

Jusqu'à maintenant, les programmes d'entraînement des chiens d'intervention, bien qu'ils n'excluent pas les enfants, sont concentrés sur les adultes. Le docteur Adam Kirton estime que l'utilisation des chiens d'intervention dans la population pédiatrique devrait être particulièrement considérée.

De plus, le chien d'intervention pourrait servir dans les pays en développement. Une grande proportion des 50 millions d'épileptiques dans le monde vivent sans accès aux traitements modernes comme la médication ou la chirurgie.

Les prochaines grandes étapes pour les chiens d'intervention comportent deux volets. Tout d'abord, les programmes d'entraînement pour l'intervention en cas de crise doivent être attentivement évalués pour démontrer qu'ils peuvent améliorer la qualité de vie des personnes atteintes d'épilepsie. Une telle étude est présentement en cours. Le deuxième volet consiste en la nécessité d'études scientifiques adéquates pour prouver que les habiletés d'anticipation sont véritables. Par la suite, des études visant à déterminer le mécanisme d'anticipation, c'est-à-dire prouver que les habiletés d'anticipation peuvent être entraînées, présentent un grand potentiel pour faire progresser la prise en charge de l'épilepsie.

Meilleure qualité de vie

Une étude évaluant le programme d'entraînement des chiens d'intervention de la Fondation des Lions a permis de découvrir que tous les diplômés du programme ont signalé certaines améliorations de leur qualité de vie après avoir obtenu un chien d'intervention. Un nombre de 82 % ont décrit ces changements comme étant majeurs, alors que 18 % ont signalé qu'ils étaient modérés. Par exemple, les relations interpersonnelles avec les membres de la famille et les amis se sont améliorées pour 73 % des personnes interviewées. Parmi celles-ci, 87 % ont rapporté être plus indépendantes ; 77 % ont ressenti une amélioration de la confiance en soi ; 87 % ont noté un sentiment d'être en sécurité ; 100 % ont remarqué une amélioration de leur humeur et 27 % ont fait état des bénéfices dans leur carrière.

Parmi les effets négatifs, 55 % des répondants ont mentionné avoir eu des problèmes concernant l'accès à des endroits publics en compagnie de leur chien d'assistance. Toutefois, ce type de problème pourrait être surmonté par l'obtention de permis ou de licences et par l'éducation du grand public. Un point qui revêt peut-être le plus d'importance est que 100 % des diplômés du programme ont recommandé des chiens d'intervention à d'autres personnes épileptiques.

Des chiens pour
les personnes aux prises
avec les maladies mentales

Quand les médicaments s'avèrent ne pas être efficaces pour amenuiser les effets négatifs des problèmes de santé mentale, certaines personnes se tournent vers des chiens qu'elles entraînent elles-mêmes. Bien qu'il n'existe aucune preuve scientifique à l'effet que les chiens soient en mesure d'aider au niveau de la santé mentale, les témoignages qui suivent ne vous laisseront certainement pas indifférents.

Psychiatric Service Dog Society

En 2002, Joan Esnayra, une biologiste, démarrait la Psychiatric Service Dog Society à la suite de constatations surprenantes chez son chien Wasabe. Depuis ce temps, plus de 15 000 personnes à travers les États-Unis ont bénéficié des services de cet organisme à but non lucratif. Des milliers de personnes éprouvant des problèmes de santé mentale sont aidées par un chien de service psychiatrique. En plus de susciter un grand intérêt et d'engendrer des résultats positifs, la formation de chiens de service psychiatrique s'est répandue à d'autres pays comme le Canada, l'Angleterre, l'Australie, le Japon et le Brésil.

En 1997, alors qu'elle était au milieu de ses études de doctorat en génétique, à l'université de Californie à San Diego, Joan fut hospitalisée pour dépression nerveuse grave. On lui administra des antidépresseurs, puis elle reçut un diagnostic à l'effet qu'elle était atteinte de troubles bipolaires.

«Pendant deux ans, j'ai essayé plusieurs sortes de médicaments, mais mon état ne s'améliorait pas, dit-elle. Je n'arrivais pas à fonctionner. J'ai dû interrompre mes études.»

Depuis qu'elle était toute petite, Joan désirait avoir un chien. À 32 ans, seule à la maison et aux prises avec une maladie qui ne semblait pas s'amenuiser, elle s'est dit que le moment était venu d'adopter un chien. Joan s'est procurée un chiot, un chien de Rhodésie (Rhodesian Ridgeback), chez un éleveur local. Cette race de chien, originaire de l'Afrique du Sud, était entraînée à chasser les lions.

Peu de temps après son arrivée dans sa nouvelle demeure, le chiot nommé Wasabe a commencé à se comporter de façon étrange. Lorsque Joan était assise devant son ordinateur pendant plusieurs heures et qu'elle se sentait devenir irritable, Wasabe allait vers elle et lui poussait le bras avec son museau. La jeune femme maugréait en lui disant de la laisser tranquille. Cependant, Wasabe ne pouvait s'empêcher de répéter ce comportement. Plusieurs jours plus tard, Joan s'est mise à se poser des questions sur son propre comportement, comme par exemple, pourquoi se sentait-elle si irritable durant certaines périodes ? Le temps a passé et Joan a compris que son chien agissait de la sorte chaque fois qu'une phase maniaque débutait, soit une période de trouble bipolaire. Elle s'est posée la question à savoir comment son chien pouvait-il s'apercevoir qu'elle se trouvait en phase maniaque, alors qu'elle-même avait parfois du mal à s'en rendre compte ! Comment expliquer que son chien affichait ce comportement chaque fois qu'elle commençait une phase maniaque ? Que ressentait-il ?

Joan s'est mise à faire des recherches afin de savoir s'il existait des chiens de service psychiatrique, mais elle n'a rien trouvé à ce sujet. Elle a donc démarré un groupe de discussion sur Internet, qui est devenu la Psychiatric Service Dog Society. Depuis, plus de 15 000 membres ont bénéficié du soutien de ce réseau.

« À force d'échanger des informations avec d'autres personnes, nous avons développé la méthode « propriétaire-entraîneur » que d'autres personnes pourraient suivre, explique-t-elle. Actuellement, la grande partie du travail de la Psychiatric Service Dog Society est d'expliquer aux gens atteints de maladies mentales comment ils peuvent entraîner leur propre chien de service psychiatrique. L'approche propriétaire-entraîneur est la meilleure méthode qui soit pour obtenir un tel chien. »

L'entraînement d'un chien de service psychiatrique nécessite une période d'environ un an. Il y a d'abord les règles

d'obéissance de base comme «Assis» et «Reste», puis l'entraînement dans les lieux publics, tels que les restaurants et les
magasins. Pendant ce temps, l'animal étudie attentivement son
maître et se familiarise avec ses biorythmes sur le plan de la
santé et de la maladie.

«Il n'y a pas de race qui soit tout particulièrement meilleure
pour ce type de chien de service, souligne Joan. Il existe un
large éventail de races de chiens pouvant servir comme chiens
de service. Cependant, les chiens qui débordent d'énergie ne
conviennent pas aux gens ayant une maladie mentale, puisque
la plupart d'entre eux disposent d'une énergie moyenne ou
peu élevée. La race que je préfère est le chien de Rhodésie
(Rhodesian Ridgeback). Je connais quelques personnes qui
possèdent un chien de cette race et elles sont très satisfaites.
Le chien de Rhodésie n'a qu'un seul maître. Il se montre
nonchalant et distant en public. Évidemment, il faut un chien
affectueux. Le chien de service veut voir son maître en tout
temps et il aime le suivre partout. Ce chien doit aussi avoir un
système nerveux très robuste. Je recommande aux gens d'avoir
un chien qui soit ni trop dominant ni trop timide. Bien sûr, le
chien doit être intelligent et sensible, surtout si vous avez des
troubles de l'humeur.»

Le concept du «travail»

Comment un chien peut-il aider une personne
ayant des problèmes de santé mentale?

«La personne qui a, par exemple, des troubles de la personnalité, peut toucher à son chien pour se *grounder* et s'orienter
dans l'espace et le temps, répond Joan. Le chien pourrait être
un participant passif, mais c'est une forme cruciale d'assistance
pour les personnes souffrant de dissociation. L'animal apprend
la ligne physiologique de son maître. Donc, lorsque la personne
dévie de cette ligne et qu'elle adopte un comportement anormal
ou qu'elle dégage une odeur anormale, le chien s'en aperçoit
et lui donne une alerte adaptée à la situation. C'est-à-dire
qu'il va soit pousser son maître avec son museau, soit japper
ou le regarder de façon intense. Personne ne peut montrer

au chien la ligne physiologique de quelqu'un ; seul le maître peut entraîner son chien afin que celui-ci devienne réceptif à sa psyché. D'autre part, les personnes qui sont aux prises avec des troubles de panique développent souvent des problèmes d'agoraphobie. Lorsqu'elles font une crise de panique, c'est tellement angoissant pour elles qu'elles ne veulent plus sortir de leur demeure. Elles craignent de subir une attaque de panique en public, ce qui serait très humiliant. Elles limitent leurs sorties jusqu'à ce qu'elles ne puissent plus sortir. Avec un chien de service, ces personnes savent qu'elles peuvent compter sur une aide extérieure. Cela aide à réduire leur anxiété. Je connais une dame qui a des troubles de panique et d'agoraphobie. Elle m'a dit : « Si vous saviez à quel point mon chien de service a changé ma vie. » Cette dame a été emprisonnée dans sa maison pendant quatre ans. À présent, elle peut marcher avec ses enfants jusqu'à l'école. »

Quels sont les effets thérapeutiques des chiens
sur le mental humain ?

« Je crois que c'est physiologique, de poursuivre Joan. Dans certaines recherches, on affirme que l'interaction avec le chien libère des substances dans le cerveau humain comme l'oxytocine [2]. Cette hormone est fabriquée dans l'hypothalamus, une zone du cerveau régulant de nombreuses fonctions dans l'organisme. Sur le plan mental, on obtient une sensation de satisfaction immédiate avec le chien. Il y a aussi le concept de connaissance intuitive *(insight)* qui est connu dans le domaine des maladies mentales. L'*insight*, c'est de prendre conscience de ce qui nous arrive quand ça nous arrive. Lorsque les personnes atteintes de maladies mentales sont symptomatiques, elles ne s'en aperçoivent pas. Lorsque le chien est utilisé comme « biofeedback » de l'état émotionnel de la personne, il la rend consciente de son état. C'est ainsi que l'*insight* est créé. »

Joan admet que les chiens de service psychiatrique ne conviennent pas à toutes les personnes atteintes de maladies mentales. Certaines d'entre elles sont tellement malades qu'elles ne peuvent pas avoir un chien. D'autres fonctionnent bien sans l'aide d'un chien. D'autres encore n'aiment tout simplement pas les chiens. Les personnes ayant une maladie mentale qui demeurent très fonctionnelles sont probablement les meilleurs candidats pour avoir un chien de service.

Qu'en pense le milieu de la psychiatrie?

«Très souvent, les gens communiquent avec moi et me disent que leur psychiatre leur a suggéré de se procurer un chien de service, répond Joan. Cela ne veut pas dire que les intervenants du milieu de la psychiatrie soient complètement ouverts à l'utilisation des chiens de service. Je ne crois pas que cela puisse arriver avant qu'il n'y ait des études scientifiques faisant la preuve de bénéfices fondés. Par contre, il y a des psychiatres qui aiment les chiens et qui comprennent que ces animaux peuvent être aidants.»

Tâches effectuées par un chien de service psychiatrique

Un chien de service psychiatrique peut effectuer plusieurs tâches. En voici quelques exemples. Pour la personne atteinte de dépression majeure, le chien peut la réveiller, lui rappeler de prendre ses médicaments et trouver des objets perdus, comme des clés, grâce à son odorat. Pour la personne bipolaire, le chien peut l'alerter au début d'un épisode maniaque en adoptant un comportement d'alerte. Pour la personne aux prises avec des crises de panique, le chien peut être entraîné pour amener son maître dans un endroit sécuritaire. Dans le cas d'un étourdissement du maître, le chien peut le soutenir pour l'empêcher de tomber. Pour la personne atteinte du syndrome de stress post-traumatique, le chien peut effectuer une stimulation tactile lorsque son maître vit de l'anxiété. Si une personne éprouve de la peur en entrant chez elle, le chien peut inspecter les pièces de la maison pour rassurer son maître. Dans le cas des cauchemars, le chien peut réveiller son maître puis allumer la lumière. Pour la personne schizophrène, le chien peut aider passivement jusqu'à ce que cette dernière comprenne qu'elle a des hallucinations. Si cette personne est confuse et désorientée, son chien peut la ramener à la maison; si elle se sent accablée dans une situation où il y a plusieurs personnes qui l'entourent, le chien peut servir de tampon entre son maître et les personnes présentes.

Sondage

Selon un sondage réalisé par la Psychiatric Service Dog Society, en 2005, auprès de 95 personnes qui utilisent un chien de service, plus de 80 % des personnes interviewées ont affirmé éprouver moins de symptômes de maladie mentale. Plus étonnant encore, 40 % d'entre elles ont déclaré prendre moins de médicaments depuis qu'elles ont un chien de service.

Parmi les personnes ayant participé au sondage, 93,9 % ont indiqué qu'elles consultaient un psychiatre, 84,5 % ont signalé qu'elles prenaient des médicaments psychotropes, 82,4 % ont dit utiliser une certaine forme de médecine complémentaire pour prendre en charge leurs symptômes de maladie mentale et 78,2 % ont mentionné que leur thérapeute les appuyait dans l'utilisation planifié d'un chien de service psychiatrique.

En plus des tâches spécifiques mentionnées précédemment, les répondants ont souligné différents bienfaits que le chien leur apportait. Voici quelques affirmations :

«C'est un compagnon et une présence calmante»;
«Le chien de service aide à me sentir en sécurité»;
«Il m'aide à structurer ma journée»;
«Il me fait sortir de la maison»;
«C'est une source d'amour inconditionnel»;
«Il me procure une distraction significative»;
«Il sert de «brise-glace social» dans les interactions avec les autres»;
«Il m'aide à faire de l'exercice régulièrement»;
«C'est mon ami pour la prévention du suicide»;
«Il me rappelle de prendre mes médicaments et il me les apporte»;
«Il me permet de revenir sur terre et de faire face à la réalité».

En raison des résultats de ce sondage, Joan Esnayra est heureuse d'observer que l'utilisation d'un chien de service aide à réduire les symptômes de la maladie mentale ainsi que la prise de médicaments.

Joan Esnayra et Wasabe.

«Rien ne m'a surprise, soutient-elle. C'est plein de bon sens. En plus de la réduction des symptômes et de la quantité de médicaments que consomment les patients, j'ai appris que les personnes ayant participé au sondage prennent vraiment soin de leur chien de service. Souvent, les gens croient que les personnes malades mentalement ne peuvent pas s'occuper d'un chien. Au contraire, elles se comportent comme tout bon propriétaire de chien, c'est-à-dire qu'elles visitent régulièrement un vétérinaire, qu'elles font participer leur chien à des épreuves d'agilité, des rallyes et autres, enfin, à toutes activités qui pourraient faire partie de leur agenda.»

Au cours des dernières années, Joan Esnayra a soumis des demandes de subvention en vue d'effectuer une étude plus approfondie sur les bienfaits des chiens de service psychiatrique. Il y a deux ans, le ministère de la Défense aux États-Unis acceptait de financer la recherche de Joan Esnayra sur les chiens de service psychiatrique pour les soldats souffrant du syndrome de stress post-traumatique.

Depuis 2005, Joan se consacre entièrement à la Psychiatric Service Dog Society. Elle a persévéré et est enchantée des progrès qui ont été réalisés au cours des cinq dernières années. Grâce au site Internet de la Psychiatric Service Dog Society, des personnes d'autres pays ont découvert le travail de Joan et s'y intéressent.

«Nous sommes en lien avec l'Australie, le Japon, le Canada, l'Angleterre et le Brésil, conclut-elle. Les membres de notre communauté ont répandu la nouvelle à l'effet que les maladies mentales peuvent être mieux gérées grâce aux chiens de service.»

«Mes chiens ont transformé ma vie»
Veronica Morris

Veronica Morris est atteinte de troubles bipolaires. Pendant des années, elle a essayé différents médicaments, mais les effets secondaires de ceux-ci étaient néfastes et elle n'arrivait pas à fonctionner adéquatement. Il fallait trouver une autre solution.

C'est alors que Veronica a découvert les chiens de service psychiatrique qui allaient changer sa vie.

«J'avais un chien qui s'appelait Sabrina et qui pouvait m'alerter à des sautes d'humeur bipolaires et à des crises de panique imminentes, raconte-t-elle. Je me disais que c'était seulement un petit truc amusant qui était utile à la maison. Une amie a mentionné que Sabrina travaillait comme un chien de service psychiatrique, mais je croyais que les médicaments étaient une solution plus facile. J'ai donc continué à essayer divers médicaments les uns après les autres, tout en subissant leurs effets secondaires.»

Un des médicaments faisait en sorte que Veronica n'arrivait pas à se concentrer pour lire. À l'époque, elle était étudiante. Par conséquent, c'était un réel problème. Un autre médicament provoquait des tremblements et Veronica ne pouvait même pas tenir un crayon. Elle se souvient aussi d'un médicament qui entraînait des évanouissements constants. Enfin, Veronica a subi une toxicité au lithium trois fois.

«Mon médecin m'a dit que les médicaments conventionnels n'étaient pas efficaces pour moi et qu'il était temps que j'essaie autre chose, ajoute-t-elle. C'est ainsi que j'ai décidé d'entraîner mon chien Sabrina pour qu'elle devienne mon chien de service psychiatrique. Avec le temps, ses avertissements avant le début de mes crises de panique m'ont permis de prendre moins de médicaments au quotidien. Je prends maintenant la plupart des médicaments seulement au besoin afin de ne pas souffrir des effets secondaires tout le temps. De plus, le travail de *«grounding»* que Sabrina faisait pour moi afin de m'aider à me stabiliser durant les sautes d'humeur et les attaques de panique a fait en sorte que, souvent, je n'avais même pas besoin de médicaments. Avec un avertissement préalable suffisant et le travail de conscience de l'ici-maintenant *(grounding)* qu'offrait ma chienne, je pouvais aisément passer à travers la plupart des crises de panique avec des perturbations de quelques heures seulement durant ma journée.»

Sabrina est un mélange de braque de Weimar et de bull-terrier aux couleurs grise et beige. Elle a été adoptée par Veronica, en 2002, alors qu'elle avait deux ans. Dans le cadre d'un traitement pour ses troubles bipolaires, Veronica s'était portée bénévole dans un refuge pour animaux. Se retrouver avec des animaux était très apaisant pour elle. Chaque jour, elle faisait des promenades avec les chiens. Veronica faisait du bénévolat depuis plusieurs mois déjà quand, un bon matin, Sabrina est arrivée au refuge. Celle-ci avait été retournée au refuge en raison de son anxiété de séparation lorsqu'elle se retrouvait seule. Son propriétaire précédent avait été évincé deux fois des logements qu'il occupait à cause de Sabrina. Le jour de son arrivée au refuge, elle était couverte de peinture, résultat de sa dernière escapade.

«Lorsque j'amenais Sabrina faire une promenade, c'était très différent des autres chiens du refuge. Elle voulait être en ma présence. Au lieu d'explorer, elle s'assoyait sur mes pieds ou mes genoux. Chaque fois que je sortais avec elle, j'éprouvais un sentiment incroyable de calme. Au fil des mois, le temps de Sabrina au refuge était arrivé à son terme et elle devait se faire euthanasier. Malgré une grosse étiquette rouge sur sa cage indiquant «Destructrice», je ne pouvais pas la laisser tomber. Mon mari et moi avons décidé de l'amener à la maison. Il a fallu six mois de travail quotidien pour la guérir de son problème d'anxiété de séparation. Il m'a fallu également autant de temps pour réaliser qu'elle m'alertait lors de mes sautes d'humeur et de mes crises de panique. Deux ans après l'adoption, j'ai commencé à l'entraîner comme mon chien de service.»

En 2008, c'était déjà le temps de songer à la retraite de Sabrina puisqu'elle souffrait de problèmes d'articulations. Veronica a, par la suite, obtenu un nouveau chien de service du nom de Ollivander ou «Ollie», un caniche standard de couleur argentée, né en 2008. Après avoir effectué plusieurs recherches, Veronica a opté pour cette race.

«J'ai découvert que les caniches sont des chiens très intuitifs et qu'ils seraient parfaits pour mes besoins. J'ai trouvé un éleveur qui offre des chiens ayant un tempérament pour devenir chien de service et je me suis inscrite à la liste d'attente pour obtenir un caniche. Environ six mois plus tard, Ollie est venu au monde. Lorsque nous sommes allés le chercher, j'ai éprouvé beaucoup d'appréhension. Est-ce que j'avais choisi le bon chien? Est-ce que j'avais choisi la bonne race? Et puis, est-ce que j'étais même prête pour cela? Je n'avais jamais eu de chiot auparavant, mais Ollie s'est bien adapté. Il a commencé à m'alerter de mes crises d'anxiété lorsqu'il avait environ six ou sept mois, et à m'alerter de mes sautes d'humeur lorsqu'il avait environ un an et demi.»

Ollie avertit Veronica de différentes façons. Son alerte à n'importe quel type d'épisode (anxiété, dépression, manie) consiste à donner un coup de museau sur la main de Veronica lorsqu'elle est debout. Dans le cas où la dame est assise, Ollie se penche avec force sur ses jambes ou ses genoux. Si Veronica ne porte pas attention, Ollie lui donne des coups de tête de manière répétitive. Ces avertissements permettent à Veronica de s'évaluer en tentant de contrôler ses sentiments et son rythme cardiaque.

«La plupart du temps, je peux demeurer en place puisque le travail de *«grounding»* que mon chien fait ne semble pas trop anormal. Le travail de conscience de *«grounding»* (l'ici-maintenant), c'est lorsque j'utilise mon chien pour m'aider à demeurer dans l'instant présent. Quand je caresse Ollie, je me concentre sur le toucher de son poil, de ses boucles, du rythme de sa respiration, du langage calme de son corps. Tout cela m'aide afin que ma maladie mentale ne prenne pas le dessus sur moi. Aux yeux des autres personnes, je caresse mon chien en enfouissant mon visage dans son poil ou même en le faisant s'asseoir sur mes genoux. Pour moi, ces comportements m'empêchent de me sauver (quelque chose qui arrive souvent durant une attaque de panique), de crier ou de pleurer, de sauter de la plate-forme du métro, etc. Ce travail est essentiel dans ma vie quotidienne et c'est la chose la plus importante que mon chien de service puisse faire pour moi.»

Tout comme Sabrina lorsqu'elle était en service, Ollie doit porter une veste lorsqu'il est à l'extérieur de la maison. Cela signifie qu'il est en devoir. Ollie a d'ailleurs été diplômé en juin 2010 à titre de chien de service psychiatrique. Les chiens de Veronica ont tous les deux été entraînés à faire d'autres choses utiles. Par exemple, quand Veronica avait une attaque de panique à l'extérieur et qu'elle ne pouvait pas se contrôler, elle devait prendre des médicaments. Cependant, les effets secondaires des médicaments faisaient en sorte qu'elle était confuse et avait de la difficulté à savoir où elle se trouvait. Dans de tels cas, Sabrina pouvait amener sa maîtresse à la station de métro BART à partir de n'importe quel endroit sur le campus de l'école.

«Quand j'étais trop malade pour faire quoi que ce soit, je n'avais qu'à dire «BART» (soit le nom de la station de métro) et Sabrina m'amenait à cette station. Elle insistait pour me faire embarquer dans le bon train en s'assurant que je me dirige vers la bonne plate-forme. Elle pouvait reconnaître ma station et s'assurer de me faire débarquer à la bonne station. Ollie apprend aussi très rapidement. L'autre jour, après une visite à l'épicerie qui ne s'est pas du tout bien déroulée, il m'a ramenée à la maison.»

Sabrina a maintenant 11 ans. Elle passe la plupart de son temps à relaxer à la maison et à être la patronne de Ollie. Elle est la reine de la maison! Toutefois, elle continue d'apporter à Veronica ses médicaments à la même heure tous les jours.

«Elle aime tellement m'apporter mes médicaments que je lui laisse me rendre ce petit service, raconte la femme de 31 ans. Je vais entraîner Ollie à effectuer cette tâche lorsque Sabrina ne voudra plus le faire ou lorsqu'elle sera décédée. Quand vient le temps de prendre mes médicaments, Sabrina cherche la petite pharmacie. Nous la cachons et cela devient un jeu pour elle. Quand elle la trouve, elle est tellement excitée qu'elle tient le flacon de médicaments dans sa gueule en effectuant une petite danse. Puis elle m'apporte mes médicaments tout en étant très fière.»

La vie avant les chiens de service

Avant de commencer à entraîner Sabrina, Veronica se préparait à laisser tomber ses études de cycles supérieurs.

«Les effets secondaires des médicaments étaient si pénibles qu'ils devenaient, en toute honnêteté, plus invalidants que mes troubles bipolaires et d'anxiété! Pendant des mois, mon mari a dû lire mes cahiers parce que je n'arrivais pas à le faire moi-même. Aussi, pendant plusieurs mois, un autre médicament m'empêchait de poursuivre ma recherche en laboratoire car je ne pouvais plus bien tenir les instruments. Certains médicaments ne se stabilisaient pas dans ma circulation sanguine et ils étaient devenus toxiques. J'ai donc été extrêmement malade pendant des semaines.»

Veronica ne pouvait jamais être seule à la maison. Elle éprouvait des sautes d'humeur et des crises de panique qui pouvaient la mettre en danger. Lorsqu'elle sortait avec son mari, celui-ci devait constamment prendre soin d'elle. Il devait plutôt être un infirmier qu'un mari.

«J'étais prisonnière de ma maladie mentale. Pendant des années, je me trouvais dans un «carrousel de médicaments». Je souffre de troubles bipolaires depuis probablement toujours. J'ai obtenu le diagnostic en 1999, alors que j'étais au collège. J'avais environ 19 ou 20 ans.»

Une vie transformée

Grâce à ses chiens, Veronica a continué ses études de cycles supérieurs. En décembre 2009, elle a obtenu son doctorat en science, politique et gestion de l'environnement à l'université Berkeley de Californie. Elle peut maintenant aller seule dans les magasins, chose qu'elle ne faisait pas auparavant. Elle peut aussi rendre visite à des amis et faire bien d'autres choses comme prendre l'autobus, l'avion, visiter une nouvelle ville, manger dans un nouveau restaurant, et ce, sans faire de crise.

«J'ai retrouvé ma vie, dit-elle d'un sourire épanoui. Mon mari dit souvent: «J'ai retrouvé ma femme». Ma vie sociale a changé également. Grâce aux cours d'entraînement, j'ai pu me faire de nouveaux amis. Le fait de me retrouver avec un groupe de gens ayant des chiens de service psychiatrique est un sentiment incroyable. Je peux maintenant échanger avec d'autres personnes qui ont une maladie mentale. Auparavant, j'avais si honte de ma maladie que je faisais tout pour la dissimuler. Avec un chien de service, j'ai dû faire la paix avec mon invalidité. Je peux maintenant le dire aux autres et affirmer à quel point mon chien m'a aidée. À présent, je ne me cache plus. Je marche la tête haute avec mon chien de

Veronica et Sabrina.

Veronica et Ollie.

service psychiatrique à mes côtés. Je m'accepte et je fais en sorte que les autres m'acceptent.»

Cependant, Veronica ne recommande pas un chien de service psychiatrique à quiconque ayant un problème de santé mentale. Selon elle, les gens ayant une maladie mentale devraient d'abord essayer des médicaments. Ils sont efficaces et peuvent sauver des vies.

«Il y a beaucoup d'inconvénients avec le fait d'utiliser les chiens de service. Le plus important est que votre invalidité n'est plus invisible. Plusieurs personnes vous poseront des questions. D'autres se fâcheront parce que vous amenez votre chien à plusieurs endroits. Certaines personnes téléphoneront même à la police. Vous pourriez perdre des amis et des membres de votre famille en raison de votre décision d'avoir ce type de chien. Ces gens pourraient avoir honte d'admettre que vous avez une maladie mentale. Donc, je recommande de bien songer à toutes vos options et d'en essayer quelques-unes avant d'opter pour un chien de service psychiatrique. Si vous avez épuisé les autres options qui s'offrent à vous, envisagez si un chien de service serait bénéfique pour vous. Pour ma part, mes chiens ont transformé ma vie.»

«Grâce à Oliver, je ne suis plus prisonnière de ma maison»

Chanda Hagen

Pendant cinq ans, Chanda Hagen n'avait pratiquement pas quitté sa maison. Atteinte de troubles bipolaires et de troubles anxieux, son monde était limité par son handicap. Grâce à Oliver, un lévrier italien qu'elle a entraîné comme chien de service, elle peut désormais mener une vie presque normale.

Chanda avait toujours voulu un lévrier italien. Se portant à la défense des lévriers de course à la retraite, elle souhaitait en avoir un de couleur grise qu'elle nommerait Oliver. Un jour, Chanda a reçu un appel d'un vétérinaire lui disant qu'il avait un lévrier italien de deux ans et que celui-ci se trouvait sur la liste des chiens pour adoption. Chanda s'est rendue chez la famille qui désirait donner ce chien.

«À ma grande surprise, il était gris et s'appelait Oliver, dit-elle. C'était stupéfiant! À ce moment là, j'ai su tout de suite qu'il y avait quelque chose de spécial qui se passait dans ma vie. Le jour où j'ai fait la connaissance de Oliver, cela faisait presque cinq ans que je n'avais pas quitté la maison. Je l'ai embarqué dans ma voiture et ce fut notre première randonnée ensemble. C'était le début d'une merveilleuse aventure pour nous deux.»

Avec le temps, Chanda a commencé à sortir davantage de sa maison et à amener Oliver partout où elle le pouvait. Elle se sentait à l'aise de sortir quand son chien l'accompagnait. Environ six mois plus tard, Oliver était devenu populaire, un peu comme une petite vedette rock. Cependant, à cette époque, Oliver était considéré comme un chien de compagnie et non comme un chien de service. Par conséquent, Chanda ne pouvait pas amener son fidèle ami partout où elle désirait aller. Elle a dû cesser d'aller à certains endroits, car l'accès à son chien n'était pas permis.

Quelques mois plus tard, Chanda a regardé une émission télévisée où elle a vu Joan Esnayra qui parlait de la Psychiatric Service Dog Society. Par la suite, elle a trouvé le site Internet de cet organisme, s'est jointe à la communauté et a écrit à Joan régulièrement par courriel. La Psychiatric Service Dog Society lui a permis de tout apprendre à propos des chiens de service.

«J'ai réalisé que mon chien m'aidait déjà quand j'avais des crises de panique, se souvient-elle. En prenant conscience que mon chien avait le tempérament pour être entraîné comme chien de service, mon monde est devenu plus grand. J'ai été très chanceuse. Grâce à la Psychiatric Service Dog Society (et à Joan), j'ai appris comment entraîner Oliver afin qu'il devienne mon chien de service.»

Il y a trois ans, un psychiatre a confirmé à Chanda qu'elle est atteinte de troubles bipolaires, de troubles obsessifs-compulsifs et de troubles anxieux.

«J'ai toujours su que j'étais dépressive et que je voyais le monde d'une façon différente des autres personnes, ajoute-t-elle. Je souffre également de migraines, de douleurs chroniques et de désordre du sommeil. Depuis qu'Oliver fait partie de ma vie, c'est différent. Il m'avertit avant même que ne commence une crise de panique et il demeure à mes côtés pendant la crise. Peu importe ce qui m'arrive, il veille toujours sur moi. Oliver est mon rocher.»

En plus d'alerter sa maîtresse avant qu'elle ne fasse une crise de panique, Oliver l'aide à passer à travers. Chanda explique : «Quand je fais une crise, je donne la commande «Étreinte» ; Oliver se lève sur ses pattes arrière, met ses pattes avant autour de mon cou et appuie son visage contre le mien. Il demeure ainsi aussi longtemps que j'en ai besoin. Je peux aussi mettre mes bras autour de lui, enfouir mon visage contre sa poitrine, le caresser, sentir sa respiration et les battements de son cœur. Oliver lèche sous mon nez et cela m'aide à contrôler mes respirations.»

D'autre part, lorsque Chanda est nerveuse ou effrayée, elle a tendance à se dissocier de tout ce qui l'entoure. Avant que cela ne survienne, elle demande à Oliver de s'asseoir devant elle et lui donne une série de commandements tels que «Donne la patte», «Touche ma main avec ton nez», etc. Pendant que Chanda ordonne ces petites choses simples, cela lui permet de fixer son attention sur Oliver. Par la même occasion, ce petit jeu l'empêche de se dissocier de ce qui l'entoure. Graduellement, son anxiété baisse et elle demeure dans le moment présent.

Il arrive aussi que Chanda ait des troubles obsessifs-compulsifs ; par exemple, elle s'assoit et se gratte la peau sans arrêt. Oliver remarque ces comportements et se met à japper pour indiquer à sa maîtresse de cesser d'agir ainsi.

Lorsque Chanda vit un épisode de manie, comme lorsqu'elle passe une très longue période de temps assise devant l'ordinateur, Oliver le lui fait savoir en lui donnant des coups de patte sur ses cuisses. Chanda va ensuite s'étendre sur le canapé pour se reposer.

Pendant la nuit, Chanda a tendance à avoir de la difficulté à maintenir la température de son corps. Oliver la réchauffe en se blottissant contre elle. «Je suis incapable de dormir sans lui, affirme-t-elle. Il est toujours là après les cauchemars que je fais. Je peux le caresser et ses respirations m'aident à régulariser les miennes. Chaque matin, il me réveille à sept heures trente.

Il y a de ces matins où je n'ai pas le goût de me lever, mais Oliver me force à le faire.»

À d'autres moments, Chanda éprouve des migraines et des étourdissements. Lorsqu'elle échappe des objets, elle n'est pas toujours en mesure de les ramasser. Oliver se fait un plaisir de le faire pour elle.

Chanda travaille dans un vignoble en Californie. Chaque jour, elle s'occupe également de 31 animaux, en plus de vaquer à ses tâches quotidiennes. Il arrive parfois qu'elle doive garder le lit en raison de migraines et de différents malaises. Peu importe qu'elle soit au travail ou au lit, Oliver s'adapte très bien à ses besoins.

«Oliver m'aide à garder confiance en moi et à sortir de la maison. Il me donne le courage de continuer à vivre. Grâce à Oliver, je ne suis plus prisonnière de ma maison. Je peux sortir et avoir une vie presque normale.»

Chanda et Oliver.

Des chiens pour détecter le cancer

La détection du cancer par les chiens peut paraître farfelue, mais des recherches scientifiques sérieuses ont lieu depuis environ 20 ans. Tout a commencé par une anecdote.

En 1978, la Britannique Gill Lacey, alors âgée de 19 ans, a remarqué que sa chienne Trudy léchait souvent sa cheville droite. Après un examen attentif de sa cheville, la jeune femme a pu remarquer un petit point qui ressemblait à un grain de beauté. Chaque jour, le dalmatien était obsédé par la lésion. Il reniflait le grain de beauté de manière étrange. Gill s'est dit que quelque chose n'allait pas et elle a décidé de consulter un médecin. Le résultat fut positif et Gill fit enlever le mélanome qui aurait pu la tuer[3].

L'hypothèse même que des chiens pourraient détecter des tumeurs malignes a été lancée dans le monde scientifique, en 1989, dans le journal médical britannique «The Lancet». Il était temps d'aller au-delà des anecdotes et de procéder à de véritables recherches scientifiques.

Hôpital Amersham

Ainsi, les laboratoires de l'hôpital Amersham en Grande-Bretagne ont décidé d'entraîner des chiens à dépister le cancer de la vessie, un type de cancer souvent détecté quand il est trop tard. Les résultats de cette étude, effectuée en 2004, seront tout de même étonnants, soit un taux de succès de 41%[4].

La façon dont ils ont procédé était la suivante: des échantillons d'urine de provenance diverse étaient insérés dans des contenants identifiés par des lettres. Un coup de claquette et c'était parti. Les chiens se mettaient à renifler les échantillons. Chaque fois qu'ils indiquaient la bonne réponse, c'est-à-dire l'échantillon qui contenait l'urine d'un patient atteint d'un cancer de la vessie, ils recevaient un biscuit.

Johanna Altgelt, Kirk Turner, Michael McCulloch, Kathy O'Brien
et Jett Gulbronsen en compagnie de Tessy et Captain Jennings
à la Pine Street Foundation en Californie.

Ce chien sent des échantillons contenant l'haleine de femmes
atteintes du cancer des ovaires ainsi que des échantillons
de personnes en santé pour tenter de les distinguer.

Jusqu'à maintenant, les recherches n'ont pas encore déterminé quelles sont les substances que le chien détecte quand il renifle un échantillon d'urine. Des hypothèses sont avancées comme quoi le tissu cancéreux aurait une odeur que les chiens peuvent détecter, mais pas les humains. On croit que les tumeurs produisent des composés organiques volatiles qui se dispersent dans l'atmosphère, par exemple, par l'haleine et la transpiration. Quelques-uns de ces composés peuvent avoir des odeurs distinctives. Même en quantité minime, ces composés peuvent être détectés par des chiens à cause de leur habileté olfactive phénoménale[5].

Pine Street Foundation

Les Américains s'intéressent également au nez du chien. En 2006, la Pine Street Foundation, en Californie, publiait une recherche menée à partir d'échantillons d'haleine installés dans des tubes. Les chiens n'avaient reçu que quelques semaines d'entraînement. Le but visé était de détecter le cancer du sein et le cancer du poumon. Des chiens ont travaillé de façon exceptionnelle pendant une période de quatre mois pour investiguer 12,295 échantillons séparés. Chaque essai a été documenté sur vidéo. L'étude a été effectuée auprès de 55 personnes ayant le cancer du poumon, de 31 personnes ayant le cancer du sein et de 83 personnes en santé. Les cinq chiens entraînés professionnellement ont réussi avec précision à distinguer, à partir d'échantillons d'haleine, ceux qui avaient le cancer de ceux qui ne l'avaient pas. Le degré de précision a été supérieur à 90 %[6].

Notons que le professeur Tadeusz Jezierski, scientifique notoire, avait été invité comme principal chercheur dans cette étude.

À la suite des résultats obtenus, trois éléments sont à retenir : un chien peut être entraîné rapidement à détecter le cancer du poumon et le cancer du sein en reniflant des échantillons d'haleine ; un chien peut détecter avec exactitude et fiabilité, à partir d'échantillons, la personne qui a le cancer et celle qui ne l'a pas ; la performance des chiens n'est pas affectée par la phase du cancer du participant, son âge, qu'il soit fumeur ou non, et le plus récent repas qu'ait pris le participant.

La Pine Street Foundation est à la recherche de fonds pour effectuer de nouvelles études, entre autres, une étude sur la détection du cancer des ovaires.

Autres anecdotes

Au cours des dernières années, d'autres anecdotes ont été rapportées par les médias. En voici des exemples : Carolyn Withers est convaincue que son chien Myles lui a sauvé la vie. En septembre 1999, son labrador, normalement très calme, a commencé à sauter, à japper et à pousser son museau sous son bras, près de son sein droit. Au début, Carolyn n'y prêtait pas vraiment attention. Une nuit, il lui fut impossible d'ignorer ce que son chien tentait de lui communiquer. Cette fois, Myles a sauté dans le lit, ce qu'il ne faisait jamais, et s'est mis à japper en pointant son museau sous le bras de Carolyn. L'animal était en panique. Carolyn a eu la frousse. En examinant son sein droit, elle a senti une petite bosse. La dame se doutait bien qu'il s'agissait d'un début de cancer. Elle a, par la suite, subi une chirurgie et se porte très bien[7].

Serait-ce une coïncidence? Myles était-il vraiment capable de détecter un cancer?

Andrew Kaplan, un vétérinaire de Manhattan, à New York, affirme que nous serions étonnés de l'information que peut fournir le nez d'un chien. Selon lui, le chien possède approximativement 220 millions de récepteurs olfactifs, tandis que les humains ont environ 5 millions de récepteurs olfactifs[8].

Nancy Best est convaincue, elle aussi, que son chien Mia lui a sauvé la vie. En 2000, à Garberville, en Californie, la dame dormait sur son canapé quand son chien sauta soudainement sur elle. Il flanqua son museau sur le sein droit de sa maîtresse. Nancy n'y prêta pas attention. Mia refit cette action les jours suivants. La troisième fois, Mia pointa son museau avec insistance au même endroit. En touchant à son sein droit, Nancy trouva une petite bosse. Elle eut ensuite une biopsie. Les résultats démontrèrent que Nancy avait un cancer du sein en phase 2. Elle a subi une chirurgie ainsi que des traitements de chimiothérapie. Par la suite, elle a affirmé être toujours en vie grâce à Mia[9].

Des chiens pour les enfants autistes

Depuis quelques années, certains parents ayant un enfant autiste se procurent un chien d'assistance. Plusieurs d'entre eux rapportent des changements positifs dans le comportement de leur enfant. Les témoignages qui suivent sont pour le moins surprenants. Malheureusement, les scientifiques en savent encore très peu sur le lien humain-animal.

Troubles envahissants du développement (TED)

Divers termes servent à désigner les troubles envahissants du développement (TED): autisme, troubles autistiques, syndrome d'Asperger, troubles envahissants du développement, troubles du spectre autistique. Les TED forment un continuum dont la gravité des symptômes ou des déficiences varie. Généralement, les enfants et les adultes qui en sont atteints ont certains points en commun concernant la communication, les comportements et les aptitudes sociales. L'autisme est le trouble neurologique le plus fréquent chez les enfants. Les TED changent la façon dont le cerveau traite les informations et ils peuvent affecter tous les aspects du développement. L'autisme classique apparaît durant les trois premières années de vie. Il touche les garçons quatre fois plus que les filles.

«Shady a ouvert une porte afin que nous puissions communiquer avec Brody»

Maureen Morin

C'est en cherchant de l'aide pour son fils Brody, alors âgé de quatre ans, que Maureen Morin a rencontré un entraîneur qui faisait des recherches sur l'autisme. Bien que l'adoption d'un chien d'assistance se voulait au départ pour la sécurité de Brody, Maureen a noté des améliorations dans le comportement de celui-ci.

«Avant d'avoir un chien d'assistance pour mon fils Brody, la vie était difficile, raconte Maureen Morin. Brody est autiste. Quand il était enfant, il était agressif envers lui-même et envers les autres. Il n'était pas sociable et il s'éloignait des gens. Il parlait très peu et n'avait pas de contacts visuels avec les gens, pas même avec nous. Aussi, il n'aimait pas aller dans un endroit public, par exemple un centre commercial. De temps à autre, il sortait de la maison en pleine nuit. Nous n'en étions pas conscients car nous dormions. Quand nous allions à l'extérieur, en soirée, Brody était attiré par les phares des véhicules. Il s'élançait dans leur direction. C'était très dangereux. Il fallait toujours le surveiller. Brody avait seulement quatre ans et je n'en pouvais plus. Pendant cette période de ma vie, je me souviens à quel point j'étais épuisée. Je pleurais souvent.»

Sans pour autant se décourager, Maureen a cherché une solution. Un jour, alors qu'elle se trouvait dans un endroit public, elle a remarqué un homme en fauteuil roulant accompagné d'un chien d'assistance. Elle s'est dit que, pour la sécurité de son fils, un chien d'assistance serait une bonne chose. Cependant, après avoir effectué de multiples recherches à travers le Canada et les États-Unis, Maureen n'avait pas encore trouvé un tel type de chien pour son fils.

«À l'époque, il n'y avait pas de chiens d'assistance certifiés pour les enfants autistes. J'ai cherché à travers le Canada et les États-Unis un organisme pouvant m'aider, étant donné la condition de mon fils. Puis, j'ai trouvé une personne pouvant entraîner un chien d'assistance pour mon fils Brody. Je voulais un chien d'assistance certifié afin qu'il puisse avoir accès aux endroits publics. Il y avait déjà des chiens d'assistance, mais ils n'étaient pas certifiés. Pour la sécurité de Brody, c'était important qu'un chien d'assistance puisse l'accompagner partout, entre autres, à l'école. C'est ainsi que le National Service Dogs a démarré et que les enfants autistes ont commencé à obtenir des chiens d'assistance certifiés.»

Shady, une femelle labrador, a été le premier chien d'assistance de Brody. Elle fut le premier chien entraîné par le National Service Dogs, situé à Cambridge, en Ontario, soit la ville même où demeure la famille Morin. Pendant six ans, Shady a accompagné Brody partout où il allait, même à l'école.

«Ce fut une grâce d'avoir ce chien, affirme Maureen. Quand nous allions à l'extérieur, je vivais moins de stress car Brody était attaché à son chien. De cette façon, il ne pouvait pas se mettre à courir subitement et se sauver. Avec le temps, la communication avec Brody s'est améliorée grâce à Shady. C'était plus facile pour nous de communiquer avec notre enfant et de lui montrer des choses. Je dirais que Shady a ouvert une porte afin que nous puissions communiquer avec Brody. Auparavant, mon fils ne laissait personne entrer dans son monde, même pas ses parents. Grâce au premier chien d'assistance, la communication est devenue plus facile. De plus, Brody est devenu plus heureux et moins anxieux. La chienne a enlevé à Brody sa peur de vivre. Elle lui a donné de la confiance en lui-même. Aussi, Brody a commencé à parler davantage et à avoir plus de contacts visuels avec nous. Ce fut une joie de voir Brody sortir de son monde peu à peu, mais je dois admettre que j'ai été jalouse du chien. Brody a donné son premier baiser à son chien, et non à moi. Les premiers bisous et les premières caresses, c'est le chien qui les a reçus. En fait, Shady a montré à Brody comment aimer. Brody ne se souvient pas de cette période de sa vie, c'est-à-dire quand il ne communiquait pas avec nous.»

Shady a accompagné Brody pendant six ans, soit de la pré-maternelle jusqu'à la cinquième année du primaire. Par la suite, elle a pris une retraite bien méritée chez les parents de Maureen. Puis, ce fut au tour de Shadow, un labrador noir, femelle, d'entrer dans leurs vies. Shadow est d'ailleurs presque toujours avec Brody.

«Nos deux chiens d'assistance, le premier, Shady, et le deuxième, Shadow, ont changé complètement la vie de notre famille, d'admettre Maureen. Souvent, la famille est isolée à cause du comportement de l'enfant autiste. Avec le chien d'assistance, le chien et l'enfant deviennent une équipe. Les chiens d'assistance réduisent les peurs que les enfants autistes peuvent éprouver. Ils représentent un outil formidable… et ça fonctionne! C'est absolument merveilleux de voir à quel point un chien d'assistance aide un enfant autiste à sortir de son monde. J'en suis témoin. Quand Brody a commencé l'école, j'avais des craintes. Avec le chien d'assistance, j'étais plus rassurée car je savais que Brody était en sécurité. Je devais faire confiance à Shady, comme si elle était sa deuxième mère. Et Brody se sentait mieux car il était en compagnie de son chien.»

Brody a maintenant 19 ans. Il va à l'école et adore les cours de théâtre. Même si parfois il retourne dans son monde, Brody est conscient de son environnement et de tout ce qui se passe autour de lui.

«Je dirais que plusieurs enfants autistes ont pris conscience de leur environnement grâce aux chiens d'assistance, soutient Maureen. C'est une drôle de façon d'éduquer les enfants, mais ça fonctionne. Au niveau de la sécurité, c'est tout à fait normal pour ces chiens d'arrêter à un coin de rue. Quand Brody était plus jeune, je donnais des commandements au chien. À présent, c'est Brody qui commande son chien. C'est formidable. Depuis quelques années, Brody est plus conscient de son environnement parce qu'il remarque ce que son chien fait. D'autre part, mon fils Grant bénéficie également de Shadow car elle a permis que s'instaure une meilleure relation entre lui et Brody. À présent, mes deux fils sont proches. Shadow a aidé Brody à aimer les autres.»

Comment les gens réagissent-ils en public?

«Les gens sont très gentils, constate Maureen. Ils ont une bonne réaction à l'égard du chien. Il faut dire que Shadow porte son dossard. La majorité des gens comprennent qu'il s'agit d'un chien d'assistance. Dans quelques endroits, malgré les papiers prouvant sa certification, certaines personnes sont dérangées par la présence d'un chien d'assistance. Il y a quelques années, certains restaurateurs n'étaient pas au courant qu'il s'agissait d'un chien d'assistance. Nous avons dû leur expliquer et faire de l'éducation.»

«À l'école, le personnel et les étudiants sont informés que Shadow est là pour travailler et non pour jouer, ajoute Brody. Évidemment, les jeunes enfants sont portés à caresser ma chienne, même s'ils sont au courant qu'ils ne doivent pas

Brody et Shadow.

le faire. Je comprends que c'est difficile pour eux de ne pas toucher à ma chienne. C'est très difficile également pour les professeurs. Shadow est adorable. Elle m'apporte la paix de l'esprit.»

À l'extérieur de la maison, Shadow porte toujours son dossard. C'est grâce à celui-ci que Brody peut avoir accès aux endroits publics.

«Aussitôt que j'arrive à la maison, je lui enlève son dossard et lui dit: «OK, tu as travaillé fort aujourd'hui. Tu peux te reposer maintenant». Aussi, même si elle ne porte pas son dossard à la maison, Shadow est presque toujours avec moi. C'est ma meilleure amie.»

«Hero est un véritable thérapeute»
Carolyn Lawrence

Depuis l'arrivée de Hero dans la famille Lawrence, en octobre 2009, des bienfaits ont été constatés chez Joel. Le garçon de 13 ans, autiste, éprouve moins de stress et s'est fait de nouveaux amis. Sa mère, Carolyn Lawrence, affirme aussi que son fils appréhende moins l'avenir et qu'il se sent plus heureux.

La famille Lawrence compte quatre enfants: Garry, 17 ans, Elisha, 15 ans, Joel, 13 ans et Marquelle, 9 ans. La plupart d'entre eux ont des problèmes d'apprentissage ainsi que des problèmes de santé. Joel avait 5 ans lorsqu'il a été diagnostiqué autiste. Le diagnostic tardif de son autisme était dû à de nombreux problèmes de santé depuis sa naissance. Joel est atteint d'une légère paralysie cérébrale et d'asthme. Il n'avait que deux ans lorsqu'on a dû lui enlever une tumeur au cerveau. Il est celui qui avait le plus besoin d'aide.

«Joel était douloureusement conscient de ses limites sociales ainsi que du manque d'amitiés dans sa vie, soutient Carolyn Lawrence. Au tout début, à l'école, on le poussait pour qu'il fasse davantage de progrès. Cependant, Joel était souvent déprimé, anxieux et physiquement malade.»

C'est en lisant le livre de Patty Dobbs, *The Golden Bridge: A Guide to Assistance Dogs for Children Challenged by Autism or*

Other Developmental Disabilities, que Carolyn a appris l'existence des chiens d'assistance pour les enfants autistes. En compagnie de Joel, elle a également visionné sur Internet des vidéos de la North Star Foundation sur ces chiens sensationnels.

« J'ai réalisé que North Star avait beaucoup à offrir à un enfant comme Joel, raconte Carolyn. Les chiens d'assistance semblaient avoir la capacité d'aider les enfants autistes à ne pas se sentir déprimés et stressés, leur donnant la chance d'apprendre et de grandir socialement. En regardant les vidéos, Joel a immédiatement voulu un « chien aidant », un être vivant qui deviendrait son meilleur ami. »

En février 2009, après avoir longuement réfléchi, Carolyn a communiqué avec Patty. Pendant ce temps, le garçon priait tous les soirs afin que son vœu le plus cher soit exaucé. En octobre 2009, par une belle journée ensoleillée, Hero, un superbe golden retriever femelle, débarquait d'un avion, en compagnie de Patty Dobbs. Hero et Patty avaient fait un long voyage du Connecticut jusqu'en Californie. Joel n'en croyait pas ses yeux.

« Lorsque nous avons reçu Hero, son entraînement n'était pas encore complété. Nous poursuivons son entraînement, en partenariat avec North Star, afin qu'elle devienne le « Hero » de Joel. La période nécessaire pour entraîner un chien d'assistance pour les enfants autistes est de deux ans environ. Notre fils Joel a compris que nous devions d'abord prendre soin de Hero afin qu'elle puisse faire la même chose pour lui. »

Les effets positifs du jeune golden retriever d'un an sur Joel n'ont pas tardé à se manifester. D'abord, Hero accompagne Joel à l'école tous les matins et va le chercher dans l'après-midi. Étant donné que sa veste de service l'identifie comme un futur chien d'assistance, Hero suscite la fascination chez d'autres enfants. Ceux-ci posent de nombreuses questions à Joel. Ainsi, Joel a la chance de travailler son élocution et ses objectifs sociaux dans un environnement amusant et naturel. Par conséquent, Joel s'est fait de nouveaux amis.

« En premier lieu, les enfants étaient bien sûr attirés par Hero. À présent, ils semblent voir Joel sous un nouveau jour, c'est-à-dire comme un garçon qui, malgré l'autisme, est plein de vie et qui a un grand cœur. Les enfants se développant normalement pensent habituellement que les enfants autistes sont impolis et immatures. Maintenant, les enfants réalisent que Joel a un handicap, qu'il est simplement différent et qu'il veut se faire des amis. Et surtout, Joel apprend comment être un ami.»

Du côté des adultes, ils sont maintenant plus à l'aise de poser des questions à Carolyn et à son conjoint Todd sur l'état de santé de Joel ainsi que sur les fonctions de Hero. D'autre part, Joel peut supporter des situations avec lesquelles il n'était pas confortable auparavant. Par exemple, à l'église, Joel n'aimait pas la musique. Il avait l'habitude de mettre ses mains sur ses oreilles et sa tête entre ses genoux. À présent, il écoute la musique tout en caressant son chien.

«Hero reçoit un massage, dit Carolyn à la blague. C'est plus acceptable de voir Joel flatter son chien que de le voir mettre ses mains sur ses oreilles. Quand Joel fait ses devoirs, il touche constamment à son chien. Ce contact physique réduit considérablement son stress. Dans d'autres situations, quand Joel devient triste et stressé, Hero le ressent et elle se couche tout près de lui ou lui lèche le visage.»

Hero aide également les autres enfants de la famille Lawrence. Par exemple, lorsque Marquelle se retrouve seule au deuxième étage de la maison, le chien d'assistance ressent cette peur chez elle et il n'hésite pas à aller la rassurer. Carolyn estime aussi que le niveau d'anxiété de sa fille a diminué depuis l'arrivée de Hero. La chienne est calme et elle semble apaiser Marquelle. Il y a aussi Garry, l'aîné de la famille. Lorsqu'il devient anxieux ou replié sur lui-même, Hero se couche près de lui ou lui apporte même un de ses jouets. Peu de temps après, les émotions négatives de Garry s'amoindrissent. Selon Carolyn, le chien d'assistance est en mesure de ressentir les émotions de ses quatre enfants. Hero sert toute la famille, mais elle est surtout le chien de Joel.

Bien que Hero soit toujours un chien d'assistance en entraî-nement, elle accompagne Joel à plusieurs endroits. Ensemble, ils vont dans les magasins, les restaurants et les cinémas, se rendent au bureau du médecin et participent aux sorties éducatives.

Comme il est mentionné précédemment, Hero accompagne le garçon à l'école, mais elle ne passe pas la journée avec lui. Le chien d'assistance a encore bien des choses à apprendre, par exemple: à réveiller Joel tous les matins à la même heure car il n'entend pas le réveille-matin sonner; lui rappeler de prendre ses médicaments, deux fois par jour; réveiller Joel si l'alarme pour le feu se met à sonner, etc. Par ailleurs, le garçon est hypoglycémique. Sa sœur plus âgée, Elisha, et lui-même ont des antécédents de crises. Hero pourrait éventuellement les aider à cet égard. Heureusement, depuis l'arrivée de Hero, les deux enfants n'ont pas eu d'épisode de crise et le taux de glycémie de Joel est stable. Comme plusieurs enfants atteints d'autisme, Joel a tendance à se sauver et Hero est entraînée à le retrouver, si cela se produit.

Carolyn Lawrence estime que les bienfaits d'un chien d'assistance bien élevé et adéquatement entraîné sont substantiels et que ses enfants sont plus heureux depuis l'arrivée de Hero dans la famille.

«Souvent, lorsqu'on a un enfant autiste dans la famille, les traitements relatifs au comportement peuvent coûter plus de 100$ de l'heure, et certains enfants ont besoin de 40 heures de thérapie par semaine. Un chien d'assistance est moins coûteux. Hero est un véritable thérapeute. Depuis qu'elle fait partie de nos vies, mes enfants sont plus heureux, surtout Joel. Avant que nous ne connaissions les bienfaits des chiens d'assistance, Joel était souvent malade, déprimé et il se tenait à l'écart. L'année scolaire de Joel, avant l'arrivée de Hero, ne fut pas un succès. Il manquait l'école hebdomadairement. En fait, il ne voulait pas aller à l'école. Aussi, il devait être suivi par un thérapeute et n'avait pas d'amis. Pour aggraver les choses, il disparaissait lorsqu'il était stressé. Aussi, Joel passait au moins la moitié de la journée en dehors de sa classe pour obtenir de l'aide supplémentaire. Joel a rencontré tous les types de thérapeutes que l'on puisse imaginer, tels que des thérapeutes comportementaux, scolaires, des ergothérapeutes et des orthophonistes. Apparemment, il avait besoin de Hero.»

En septembre 2009, Joel a commencé sa nouvelle année scolaire avec succès et Hero est arrivée un mois plus tard. Joel

Joel et Hero.

n'a pas du tout été malade pendant toute l'année scolaire. Il n'a raté qu'une demi-journée d'école quand il est allé chercher Hero à l'aéroport, au début du mois d'octobre. À présent, Joel est heureux d'aller à l'école pour voir ses amis et il ne cherche plus à s'enfuir de sa classe. Il a maintenant d'excellentes notes.

«Jusqu'à maintenant, Joel n'a fait des colères qu'en de rares occasions, contrairement à l'année précédente, souligne la mère de l'enfant. À présent, il n'a plus besoin qu'un thérapeute comportemental l'accompagne à l'école. Joel est devenu indépendant. Désormais, il peut se passer une semaine ou même un mois sans qu'il n'ait de problèmes de comportement. La chose la plus importante est le bonheur de Joel. Il est plus heureux depuis qu'il a Hero. Il a acquis une plus grande confiance en lui-même et il appréhende moins l'avenir. À mon avis, c'est beaucoup plus que ce qu'un thérapeute ne pourrait faire.»

«Whitby garde mon fils bien ancré»
Michelle McIntyre

Depuis que Whitby fait partie de la famille, Michelle McIntyre a noté plusieurs changements positifs chez son fils Rowan. En plus d'avoir commencé à communiquer avec les gens, l'enfant est beaucoup plus calme. Et surtout, la mère de l'enfant a maintenant l'esprit tranquille car l'animal veille constamment sur son protégé.

«Avant la venue de Whitby dans notre famille, il fallait huit paires de yeux pour surveiller mon fils Rowan, se souvient Michelle McIntyre. Rowan est autiste et atteint du syndrome de Down. Il se promenait partout et il ne tenait pas en place.»

Whitby est un chien d'assistance qui provient du National Service Dogs. Depuis novembre 2009, le labrador noir fait la joie de Rowan. Sa mère affirme avoir remarqué des améliorations au niveau du langage, de la motricité et du comportement de son fils.

«Rowan a maintenant 13 ans, indique Michelle. Il a déjà consulté un thérapeute. Mais, grâce à son chien d'assistance, il parle davantage. Il a commencé à communiquer avec les gens, ce qu'il ne faisait pas auparavant. Je dirais que Rowan semble de plus en plus conscient de l'environnement dans lequel il se trouve. Récemment, nous sommes allés chez le coiffeur. Pendant que Rowan attendait pour se faire couper les cheveux, il est allé voir un homme et lui a demandé : « Voulez-vous caresser mon chien ? » Rowan n'avait jamais fait cela auparavant. Depuis quelques mois, j'ai remarqué d'autres situations où Rowan entre en communication avec les gens. Le chien est comme un ambassadeur pour Rowan. De plus, mon fils est plus calme. Quand nous allons quelque part, il ordonne à Whitby de rester tranquille tandis que lui-même demeure tranquille. C'est étonnant de constater à quel point son comportement a changé. Il demeure près de son chien pour s'en occuper et le caresser. Auparavant, il se serait promené partout et aurait touché à tout. Il fallait constamment le surveiller. Avec le temps, Rowan a développé de la confiance en lui et une plus grande autonomie À présent, quand je dois faire des emplettes, je peux me concentrer sur ce que je dois faire. J'ai l'esprit tranquille. Rowan peut parfois s'éloigner, mais je sais qu'il reviendra car il est avec son chien. Rowan s'est mis des restrictions pour lui-même et pour son chien. Il se sent responsable de son fidèle compagnon. Il prend soin de le nourrir et de l'amener à l'extérieur chaque matin. »

Au niveau de la motricité de son fils, Michelle a noté des améliorations. Chaque jour, Rowan prend un album photos ou un livre et il lit des histoires à son chien en tournant les pages. Par conséquent, son niveau de lecture s'est amélioré ainsi que sa motricité.

« Cela peut paraître anodin, mais c'est beaucoup pour Rowan. Cela lui demande des efforts au niveau intellectuel et de la coordination des gestes, mais il est tellement motivé à le faire. Aussi, c'est Rowan qui installe le dossard à Whitby et qui lui met son harnais. Quand Whitby fait quelque chose qui est bien, Rowan n'oublie jamais de lui donner une gâterie. Pour cela, il doit ouvrir la petite pochette située sur le dossard de l'animal. C'est formidable de voir mon fils exécuter ces gestes qui sont difficiles pour lui. Je dirais que Whitby garde mon fils bien ancré. Rowan travaille avec des

Rowan et Whitby.

ergothérapeutes depuis longtemps, mais aucun d'eux n'a pu le motiver comme le fait Whitby. »

Le chien d'assistance semble également apporter une certaine sécurité à l'enfant. Rowan a une sœur de 10 ans. Avant d'avoir son chien, il ne voulait pas dormir seul. Il préférait dormir avec sa sœur dans le même lit. Depuis l'arrivée de Whitby, Rowan préfère avoir sa chambre bien à lui. Il a tôt fait d'amener son chien dans son lit pour lui donner des friandises et le caresser. Si bien que Whitby dort maintenant près de Rowan, la tête sur l'oreiller. Souvent, l'enfant s'endort blotti contre son chien, le bras autour de son cou.

À présent, Rowan aime l'école. En classe, il a fait une présentation orale au sujet de son chien et a montré des photos de lui. Au moment d'écrire ces lignes, l'animal n'accompagnait pas encore l'enfant à l'école. Selon Michelle, l'acquisition d'un chien d'assistance est la meilleure chose qui puisse arriver à un enfant autiste.

« Le chien d'assistance n'est pas un jouet, précise-t-elle. Avant d'adopter un animal aussi extraordinaire, il faut que tous les membres de la famille soient d'accord et qu'ils aiment les chiens. Whitby est un être vivant dont mon fils a besoin. Non seulement Whitby a suscité des améliorations chez Rowan, mais il a aussi fait en sorte que notre qualité de vie soit plus épanouie. »

Sécurité de l'enfant et bien-être des familles

La fonction principale d'un chien d'assistance ou chien de service, dans le contexte de l'autisme, est d'assurer la sécurité de l'enfant. Le chien doit pouvoir résister à la tentative d'un enfant de s'échapper. L'enfant est attaché au chien par un système de laisses et de ceintures, et le chien répond aux commandes du parent. En fait, c'est le parent qui tient le chien en laisse. Si l'enfant tente de prendre la poudre d'escampette ou de bouger de façon dangereuse, le chien résistera en utilisant son poids pour s'appuyer contre l'enfant, le ralentir ou arrêter son mouvement, ce qui donne aux parents, qui marchent derrière l'enfant, du temps pour intervenir.

Toutefois, selon une étude d'éthologie qualitative[10], la contribution des chiens de service pourrait aller au-delà de la sécurité physique de l'enfant autiste.

Tout d'abord, mentionnons que l'étude dont il est question a été effectuée auprès de dix familles du sud-ouest de l'Ontario. Les chiens de service provenaient du National Service Dogs. Ils ont été offerts aux familles entre novembre 2003 et mai 2004.

Parmi les enfants autistes, il y avait sept garçons et trois filles âgés entre quatre et quatorze ans. La motricité des enfants, leurs habiletés en communication ainsi que leur tempérament variaient. Deux des familles avaient un deuxième enfant autiste, mais le chien a été sélectionné pour un seul enfant plutôt que pour les deux.

Les parents ont été les sources principales d'entrevues car les enfants ne pouvaient pas communiquer. Le parent interviewé dans chaque famille était également la principale personne qui maniait le chien. Neuf mères et un père ont participé aux entrevues.

L'observation des participants a été réalisée dans plusieurs endroits ou environnements : à la maison, lors de randonnées en véhicule, dans des centres commerciaux, lors d'activités récréatives, de promenades, en salle de classe, etc.

Apprentissage de nouvelles habiletés

Parmi les nouvelles habiletés acquises par l'enfant et facilitées par la présence du chien, les parents ont remarqué une grande variété de tâches physiques. Un enfant a appris comment enlever le couvercle de nourriture pour chien, verser la nourriture dans le bol du chien, placer le bol sur le plancher et regarder le parent donner l'ordre au chien de manger. Plusieurs enfants ont appris à ramasser une balle et à la lancer à leur chien. Les enfants ont également appris à manipuler des outils de toilettage pour les chiens.

De plus, les parents ont signalé une diminution de l'anxiété chez leur enfant, une réduction du nombre de crises et une routine plus agréable à l'heure du dodo. Dans plusieurs cas, ils ont rapporté que leur enfant semblait plus heureux et qu'il acceptait davantage les directives.

Répit en famille

Parmi les effets de la présence du chien de service expérimentés par les parents, il y a eu une réduction du stress et une augmentation des activités de répit et de relaxation. Pour certaines familles, le changement était mineur, par exemple, faire de petites randonnées en auto ; pour d'autres familles, les vacances et les voyages devenaient une possibilité. Une famille a visité Walt Disney World. Grâce à la présence du chien, leur fille a pu supporter le long voyage jusqu'en Floride. Elle a accepté le nouvel environnement sans être trop bouleversée ou accablée. D'autres familles ont rapporté que des randonnées en traversier, en avion ou des week-ends au chalet étaient devenus plus faciles en raison de la présence du chien de service.

Statut social de la famille

Le chien de service est une source de fierté pour les autres enfants de la famille. Le chien leur donne l'occasion de parler de leur frère ou de leur sœur (autiste) sans devoir parler de l'autisme. Ce changement a été remarqué dans les familles où les frères et sœurs plus âgés avaient passé la majorité de leur vie avec un frère ou une sœur autiste. La présence du chien de service, particulièrement en public, permettait aux frères et aux sœurs des enfants autistes de se sentir plus fiers et moins embarrassés. La famille reçoit une attention plus positive qu'avant l'arrivée du chien.

Éducation au sujet de l'autisme

En facilitant les interactions sociales, le chien de service améliore la sensibilisation, la compréhension et la tolérance des gens face à l'autisme. Quand le chien portait le harnais et que l'enfant était relié à lui par un système de laisses, les étrangers réalisaient rapidement les circonstances spéciales entourant l'enfant. Tout particulièrement quand l'enfant avait un comportement inapproprié, par exemple, une crise. Auparavant, les étrangers attribuaient le comportement de l'enfant à un manquement de la part des parents. Pour la première fois, sortir en public devenait une expérience positive. Au lieu d'éviter l'enfant, les gens se présentaient aux parents et posaient des questions. Ils étaient curieux au sujet du chien de service. Les parents ont pu utiliser ces occasions pour expliquer ce qu'est l'autisme.

Autres bienfaits

Les chiens dormaient avec les enfants et les suivaient s'ils s'échappaient de la maison. Ils étaient une autre paire de yeux, de mains ou de pattes pour l'enfant. Les parents dormaient mieux. Plusieurs enfants ont apprécié cette pression profonde où le fait d'être serré contre l'animal leur servait de mécanisme d'apaisement ; en se blottissant contre leur chien, cela avait pour effet d'apaiser leur anxiété.

Les visites chez le médecin ont été moins stressantes. La réduction de la détresse chez ces enfants a également été enregistrée dans d'autres environnements tels que les écoles, les églises et les épiceries.

Avant d'obtenir un chien de service, les parents ont dit qu'ils se sentaient exclus, embarrassés et qu'on les évitait en public lorsqu'ils avaient, avec eux, leur enfant autiste. Les chiens semblent avoir été des catalyseurs de relations d'une personne à l'autre, ce qui a aidé les familles à s'intégrer dans les systèmes scolaires et les communautés.

Aucun parent n'a remarqué un déclin dans le comportement de l'enfant ou lors des activités familiales pendant toute la période de l'étude.

Des chiens pour
les personnes
à mobilité réduite

Le chien d'assistance pour une personne à mobilité réduite accompagne celle-ci dans tous ses déplacements afin de pallier certaines limitations ou incapacités physiques. Il assiste la personne en effectuant de multiples tâches comme, par exemple, tirer son fauteuil, ramasser et transporter des objets, allumer les lumières, se positionner pour faciliter le transfert du fauteuil roulant à une chaise, un canapé ou un lit. Il peut agir également ment comme support à la marche. La plupart des personnes handicapées physiques ayant un chien d'assistance sont en fauteuil roulant ou motorisé.

Lorsqu'il est au travail, le chien d'assistance pour une personne handicapée physique porte toujours un dossard et un harnais.

« Je suis mieux intégré à la société grâce à Bowes »

Ross Campbell

Ayant vécu avec et sans chien d'assistance au cours des 20 dernières années, Ross Campbell estime que ces formidables animaux aident énormément à la socialisation. En plus de se sentir accepté par les gens, le jeune homme de 26 ans considère son chien Bowes comme l'exemple même de l'amour inconditionnel.

« Lorsque je suis en public, les gens ont tendance à me parler plus facilement parce que j'ai un chien d'assistance, remarque Ross Campbell, atteint de paralysie cérébrale. Je sens que je suis mieux intégré à la société grâce à Bowes. Avant d'avoir mon chien, quand j'arrivais quelque part en fauteuil roulant, je me sentais comme un éléphant blanc. Les gens me regardaient et ne savaient pas comment réagir ni quoi dire. Il y avait un malaise. »

Ross demeure en Californie. Il avait cinq ans lorsqu'il a eu son premier chien d'assistance. Bucky était un labrador noir pesant environ 45 kilogrammes. Il provenait de Canine Companions for Independence.

«Mon plus jeune frère et moi avons grandi en présence de Bucky. Nous le considérions plus comme un frère qu'autre chose. Je garde de magnifiques souvenirs de lui. Il dansait en attendant sa nourriture. Quand je faisais de la physiothérapie, on lui disait de demeurer dans un endroit particulier de la pièce pour ne pas qu'il interfère dans notre travail. Puis, il se mettait à ramper très lentement jusqu'à l'endroit où nous nous trouvions. Au bout de vingt minutes environ, il arrivait tout près de nous et posait sa tête sur moi ou sur mon thérapeute. Il était un «m'as-tu-vu». Bucky avait été également entraîné, de façon unique, à m'aider à marcher. Je m'appuyais sur un harnais fixé à son corps, et mon chien était en mesure de supporter mon poids. Évidemment, cette fonction a pris fin quand je suis devenu plus grand.»

Bucky devait aussi transporter les effets personnels de son jeune maître. Bien qu'il n'ait pas accompagné Ross à l'école, il surveillait attentivement son retour à la maison.

«Lorsque j'allais à l'école ou que j'en revenais, il transportait mes sacs d'école jusqu'à l'autobus le matin et les ramenait le soir. C'était un travail qu'il aimait tellement. Chaque jour, en fin d'après-midi, il regardait par la fenêtre avant de la maison pour voir l'autobus arriver et jappait pour en informer ma mère.»

Ross considère que son chien d'assistance a été un «brise-glace social» entre lui et les autres enfants.

«J'amenais Bucky en classe environ une fois par année afin de démontrer son entraînement aux élèves. Cet exercice m'a toujours valu d'être dans les bonnes grâces de mes pairs. Je me souviens aussi lorsque ma mère nous faisait la lecture à moi et à mon frère. Bucky rampait dans le lit et blottissait sa tête contre nous. Je pense qu'il aimait vraiment la voix de ma mère. Bucky était un membre à part entière de la famille.»

Après la mort de Bucky, Ross ne se sentait pas prêt à avoir un deuxième chien d'assistance. Les années ont passé. Ross a ensuite vécu le décès de ses parents. En discutant avec

Ross et Bowes.

son frère, le jeune homme a convenu que ce serait une bonne idée d'avoir de nouveau un chien d'assistance. Ross a donc fait une demande à Canine Companions for Independence. Lors du jumelage, il a travaillé avec plusieurs chiens avant de trouver celui qui lui convenait. Tout comme Bucky, Bowes est un labrador noir.

«Bowes a maintenant quatre ans, dit-il. C'est un ami qui est toujours là pour m'aider. Il n'hésite jamais à ramasser des objets par terre pour moi. Il me permet de tirer profit de sa force physique dans bien des situations difficiles. Il m'accompagne aussi dans bien des endroits comme les supermarchés, les cinémas et les restaurants. Souvent, nous allons au parc à chiens non loin de chez moi. Je travaille pour une agence immobilière dont un des projets est la construction d'un train à haute vitesse en Californie. Bowes m'accompagne au travail environ deux fois par semaine, surtout pour garder ses habiletés alertes. Je vis avec ma copine et mon frère. De temps à autre, je vais voir mes amis ou ils me rendent visite. Bowes apporte un scintillement de vie à tous ceux qu'il rencontre. Sa présence a considérablement amélioré notre bonheur et il complète notre famille. Ma vie est plus riche et plus intéressante depuis qu'il en fait partie. On ne peut demander un meilleur compagnon que Bowes. Il a tellement d'amour en lui pour tout le monde, même pour le chat. Bowes est l'exemple même de l'amour inconditionnel.»

«Je continue à servir mon pays grâce à mes chiens»
Sergent Clayton Rankin

Après avoir servi son pays pendant 25 ans, le sergent Rankin a pris une retraite bien méritée. Malgré ses handicaps, il parcourt les États-Unis pour rendre visite aux vétérans et les aider, en compagnie de son chien de service, Harley-Davidson.

Clayton Rankin faisait partie de la Garde Nationale du Colorado. Comme de nombreux vétérans américains, il n'est pas revenu indemne des missions auxquelles il a participé. Lors de la guerre du Golfe, en 1991 et 1992, il a combattu pendant six mois. Malgré lui, il a respiré des gaz toxiques, dont le gaz Sarin, entre autres, qui ont endommagé son foie.

Au cours des années 2003 et 2004, il a participé à la guerre en Irak. Pendant neuf mois, il a combattu jusqu'à ce qu'il soit grièvement blessé. De retour au pays, le militaire a reçu des traitements médicaux pour des lésions à la moelle épinière, pour un traumatisme cérébral et un syndrome de stress post-traumatique.

En 2004, après 25 années de loyaux services, le sergent Rankin a dû se retirer à cause de son état de santé. Le retour à la vie civile n'a pas été chose facile. À l'instar de plusieurs vétérans, les combats ont laissé des marques physiques et psychologiques.

«Depuis ma première expérience au combat, ma vie n'a plus jamais été la même, avoue l'homme de 50 ans. Chaque fois que je revenais d'une guerre, je me sentais perdu et incompris.»

En 2006, alors qu'il cherchait un chien de service pour l'aider dans son quotidien, le vétéran a été mis en contact avec le Patriot Paws Service Dogs. Cet organisme à but non lucratif, situé au Texas, offre des chiens de service aux vétérans américains. Un mois après avoir fait une demande auprès de Patriot Paws, le sergent Rankin a reçu Archie, un labrador noir. C'était en octobre 2006. Malheureusement, Archie est décédé d'une crise cardiaque à l'âge de huit ans, en novembre 2009. En février 2010, il a reçu Harley-Davidson. C'est un labrador jaune de deux ans.

«Mes chiens de service représentent mes préposés, explique-t-il. Ils m'aident pour une foule de choses: maintenir mon équilibre, m'asseoir, me lever, marcher, ouvrir des portes, faire des emplettes, etc. Ils me rappellent également de manger et de prendre mes médicaments. Je dois avouer aussi que les chiens de service sont de véritables «brise-glaces» au niveau social. Lorsque je dois sortir en public, ils me donnent confiance jusqu'à un certain point. Disons que les gens m'abordent plus facilement parce que je suis accompagné d'un chien. Ils posent des questions sur les fonctions de mon chien et non sur mes handicaps.»

Sergent Rankin et Harley-Davidson.

Le syndrome de stress post-traumatique dont souffre le sergent Rankin se manifeste de différentes façons : il a du mal à commencer des relations et à les maintenir ; il éprouve aussi des problèmes d'attachement vis-à-vis de sa famille ; enfin, il a de la difficulté à sortir dans les lieux publics, surtout dans les endroits où il y a beaucoup d'étrangers.

« Archie et Harley-Davidson m'ont redonné mon indépendance, affirme-t-il. Ils m'ont permis de faire des choses sans que j'aie besoin de l'assistance d'autres personnes. Avant d'avoir un chien de service, ma femme et mes enfants étaient obligés de m'aider jour et nuit. Je pouvais sortir de la maison seulement si quelqu'un m'aidait. Sans les chiens de service, je serais prisonnier de ma maison. »

L'ancien militaire se considère très chanceux d'avoir trouvé le Patriot Paws Service Dogs. Il a été le premier vétéran de la guerre en Irak à recevoir un chien de service de cet organisme.

« Les gens doivent savoir qu'un chien de service n'est pas seulement qu'un chien. C'est un partenaire qui veille sur son maître 24 heures sur 24, 7 jours sur 7. Je crois fortement que ces chiens enrichissent la vie des vétérans. Ils aident à la mobilité et nous supportent pour des raisons thérapeutiques. Tous les jours, Harley et moi visitons des vétérans dans des hôpitaux. Nous voyageons à travers le pays pour les rencontrer. Je suis un défenseur des droits des vétérans. J'aide également à ce qu'on offre des chiens de service aux vétérans ayant des handicaps. À présent, j'ai une vie bien remplie et plus productive. Je continue à servir mon pays grâce à mes chiens. Si Harley-Davidson n'était pas là, je ne pourrais pas sortir de la maison seul, encore moins voyager et aider les autres. »

Depuis quelques années, Clayton Rankin demeure avec sa famille en Virginie de l'Ouest. Il mène assurément une vie active. En plus de voyager à travers les États-Unis, il a participé à la randonnée Sea to Shining Sea à l'été 2010. Cette randonnée de 63 jours s'est déroulée de San Francisco à Virginia Beach, soit une distance d'environ 6 400 kilomètres (4 000 milles). En plus d'avoir recours à Harley-Davidson dans ses déplacements, le vétéran utilise aussi un scooter et un gyropode.

« Curzon représente l'indépendance »

Sean Cornnell

À la suite d'un accident d'automobile, en 1998, Sean Cornnell est devenu paraplégique. Depuis quatre ans, son chien Curzon lui facilite la vie en effectuant de multiples tâches, à tel point que le maître et le chien vivent une relation en symbiose.

Sean demeure dans le sud-est de la Floride. Le 1er mars 1998, aux petites heures du matin, il pleuvait à torrents sur la région, en raison du phénomène El Niño qui déversait d'importantes quantités d'humidité en provenance du Golfe du Mexique. Le véhicule dans lequel Sean se trouvait passager roulait à environ 20 kilomètres à l'heure. Soudainement, le véhicule a roulé dans une grande flaque d'eau, a fait de l'hydroplanage pour ensuite se retrouver dans un groupe de palmiers. Au moment de l'impact, les passagers du véhicule n'ont pas bronché, mais Sean, qui ne portait pas sa ceinture de sécurité, a été projeté sur la banquette arrière. Il a subi un traumatisme cérébral, des lacérations au cuir chevelu et une fracture du cou à quatre endroits. Il a été hospitalisé pendant six mois et il n'a pas pu travailler pendant deux ans.

Lors de son premier séjour à l'hôpital Jackson Memorial de Miami, Sean a rencontré un homme paralysé ayant un chien d'assistance. C'est ainsi que Sean a appris l'existence de Canine Companions for Independence. En 2007, Sean a reçu une formation intense de deux semaines au cours de laquelle il a fait un essai de plusieurs chiens, jusqu'à ce qu'il rencontre Curzon. Depuis ce temps, Sean et Curzon, un labrador blond maintenant âgé de six ans, sont devenus inséparables.

« Curzon effectue une multitude de tâches, raconte l'homme de 43 ans. Il est en mesure d'ouvrir des portes, de transporter des objets et même de les remettre à des personnes, de ramasser des choses tombées par terre, etc. En un mot, Curzon représente l'indépendance. Il est plus intelligent que la plupart des gens que je connais. Vous savez, le fait de se déplacer en fauteuil roulant peut être perçu comme une barrière pour rencontrer des femmes, mais, avec Curzon, c'est tout le contraire. Il est un véritable « aimant à femmes ». Chaque

Sean et Curzon.

fois que nous sommes dans un lieu public, les femmes ne peuvent s'empêcher de venir à notre rencontre. Elles admirent Curzon et, par la même occasion, engagent la conversation avec moi.»

Sean est comptable pour une importante firme œuvrant dans le domaine automobile. Il vit avec ses parents et sa sœur. Chaque matin, il se lève à cinq heures quinze. Avec l'aide d'autres personnes, il s'habille puis on l'installe dans son fauteuil roulant. Après le petit déjeuner, il nourrit Curzon et fait sa toilette. Une fois à l'extérieur de la maison, Sean ouvre la porte de sa camionnette adaptée et donne l'ordre à son chien d'y embarquer.

«Nous arrivons au bureau à sept heures quinze tous les jours de la semaine, même si je ne commence pas à travailler avant huit heures, dit-il. J'ai toujours été fier de ma ponctualité et le fait d'être paraplégique ne change rien à mon éthique de travail. J'allume mon ordinateur et Curzon se couche sous le bureau jusqu'à ce que je lui demande de faire une tâche. Je travaille jusqu'à dix-sept heures et, bien sûr, j'arrête pour l'heure du lunch ainsi que pour les pauses salle de bain, pour moi et pour Curzon.»

De retour à la maison, Sean aide sa nièce à faire ses devoirs et demande à Curzon de faire des exercices spécifiques afin que ses habiletés soient toujours alertes. D'autre part, le jeu prend aussi une place importante.

«Tous les jours, je joue avec Curzon pendant environ trente minutes afin que celui-ci ait du plaisir. Aussi, je le laisse jouer avec mon autre chien, un labrador brun de cinq ans, qui se nomme Kona. Depuis que Curzon fait partie de ma vie, il y a tellement de choses qui ont changé pour le mieux que je ne pourrais pas toutes les énumérer. C'est fantastique de pouvoir amener son meilleur ami partout, même s'il a tendance, à l'occasion, de vous couvrir de bave et de poils. Curzon et moi, nous vivons une relation en symbiose. Je crois qu'il vous dirait la même chose s'il pouvait parler.»

Facilitation sociale et estime de soi

Évidemment, le chien d'assistance permet aux personnes à mobilité réduite d'accroître leur autonomie. Comme nous l'avons vu précédemment, le chien d'assistance sert aussi de «brise-glace social» entre son maître et les personnes autour de lui. Les gens vont vers le chien pour le caresser et ils engagent la conversation avec le maître. Ils sont curieux de connaître les nombreuses fonctions du chien d'assistance. La communication s'établit et la socialisation commence.

Plus encore, le chien d'assistance permet aux personnes ayant divers handicaps de conquérir ou de reconquérir leur reconnaissance en tant qu'individus. Selon une étude exploratoire intitulée «*The Effect of Partnering with an Assistance Dog on Self-Esteem and Social Connectedness among Persons with Disabilities*»[11] et réalisée auprès de 15 personnes, le chien d'assistance a permis d'améliorer l'image qu'elles avaient d'elles-mêmes, c'est-à-dire l'estime de soi. Toutes ces personnes ont expérimenté un changement dans la perception d'elles-mêmes et un changement dans leurs relations sociales.

Cette étude exploratoire portait sur la facilitation sociale et l'estime de soi. Parmi les 15 personnes ayant participé à cette étude, cinq d'entre elles étaient sourdes, d'autres étaient à mobilité réduite, d'autres encore avaient des handicaps multiples.

D'après le narratif des 15 personnes, il était apparent que la décision d'avoir un chien d'assistance n'était pas seulement basée sur l'assistance fonctionnelle du chien, mais aussi sur le support émotionnel et social que l'animal offre. Les participants ont mentionné que leurs attentes ont été remplies et que ce fut au-delà de leurs espérances. Ils ont affirmé que le chien d'assistance avait fait augmenter les occasions d'interactions sociales.

Les participants sont aussi plus indépendants. Les chiens d'assistance leur sont bénéfiques car ces personnes ayant un ou des handicaps n'ont plus à attendre que d'autres leur viennent en aide.

Après avoir été associés à un chien d'assistance, les participants étaient en mesure de miser sur leurs habiletés plutôt que sur leurs limitations.

Une autre étude, *«Dogs for the Disabled»*[12], effectuée auprès de personnes ayant un chien d'assistance, rapporte que 92% d'entre elles se font aborder fréquemment sur la rue à cause de leur chien. Les gens veulent en savoir plus sur le chien. La majorité de ces personnes ont de nouveaux amis depuis qu'elles ont leur chien. Plus du tiers d'entre elles disent avoir une vie sociale améliorée. Les interactions sociales sont plus respectueuses et moins condescendantes. Quatre-vingt-treize pour cent (93 %) disent que leur chien est un membre respecté de la famille. Pour plusieurs, le chien est davantage considéré comme un compagnon que comme un chien d'assistance. Ces personnes affirment aussi qu'elles ont une meilleure santé grâce à leur chien.

Des chiens pour les personnes sourdes et malentendantes

Les chiens d'assistance pour les personnes sourdes et malentendantes sont moins connus que les chiens-guides pour les personnes aveugles, puisque leur utilisation est plus récente. Il n'en demeure pas moins que ces charmantes bêtes offrent elles aussi une meilleure qualité de vie à bien des personnes.

Ce type de chien d'assistance est entraîné à réagir à plusieurs sons comme la sonnerie du téléphone, la sonnette et les cognements à la porte, des voix, les pleurs d'un bébé, le sifflement de la bouilloire, l'alarme pour le feu ainsi que d'autres sons domestiques. Le chien peut aussi être entraîné à répondre à des signes de la main si le maître n'est pas en mesure de parler de façon suffisamment audible pour donner les commandes verbales. Lorsqu'il entend un son spécifique ou inhabituel, le chien effectue un contact physique avec son maître. Il le dirige ensuite vers la source du bruit.

Au Canada, les chiens d'assistance pour personnes sourdes et malentendantes sont généralement des labradors ainsi que des caniches miniatures et standards. Ce sont des chiens qui doivent aimer les gens, être doux et curieux.

«Pendant l'entraînement, il y a des choses que nous ne montrons pas au chien, mais il va les apprendre par lui-même, affirme Rhonda Workman, entraîneure chez Dog Guides de la Fondation des Lions du Canada. Par exemple, lorsque le grille-pain a terminé de griller les tranches de pain, le chien va en informer son maître en le touchant et en regardant la source du bruit. D'autre part, ces chiens apportent de la sécurité aux gens. Lorsqu'il y a quelqu'un à la porte, ils avertissent. Ils offrent également une meilleure qualité de vie aux utilisateurs. Personnellement, j'adore entraîner des caniches miniatures. Ils sont très intelligents et ils font n'importe quoi pour plaire à leur maître. Ce sont des chiens amoureux et très doux lorsqu'ils touchent à une personne.»

Pour les besoins de ce chapitre, nous avons interviewé deux personnes sourdes. Après avoir lu nos questions, elles ont répondu de façon écrite.

« Gwen est ma deuxième paire d'oreilles »

Gaelen Swartz

Né avec le syndrome d'EVAS, Gaelen Swartz a été diagnostiqué malentendant à l'âge de trois ans. Depuis juin 2008, il fait équipe avec Gwen, un labrador noir qui lui a été offert par Dog Guides de la Fondation des Lions. À l'école Sir James Whitney, un établissement pour personnes sourdes et malentendantes, en Ontario, Gaelen est le seul étudiant à posséder un chien d'assistance.

« C'est seulement à l'âge de trois ans que les médecins ont diagnostiqué que j'étais malentendant car, dans ma ville natale, il n'y avait pas la technologie nécessaire pour effectuer des examens médicaux plus poussés, explique le jeune homme de 21 ans. Quand j'étais enfant, je pouvais entendre un peu. J'ai donc appris à parler. À présent, je peux entendre d'une oreille grâce à un appareil auditif. Aussi, je peux lire sur les lèvres des gens et je communique en langage des signes américains. »

Lorsque Gaelen sort en public avec son chien d'assistance, bien des gens lui demandent si son chien est en entraînement. Ils croient que Gaelen entraîne un chien-guide pour une personne aveugle. Le jeune homme explique alors que Gwen n'est pas en entraînement et qu'elle est un chien d'assistance pour une personne sourde ; elle est au travail. Très souvent, les gens sont confus parce que Gaelen a entendu leur question pour ensuite y répondre.

« Les gens ne réalisent pas que je lis sur les lèvres, dit-il. Ils sont très intéressés et me posent d'autres questions sur moi et sur mon chien. Ils affirment que mon chien est un bien incroyable pour les personnes sourdes. La grande majorité des gens qui posent des questions sur mon chien n'ont jamais entendu parler des chiens d'assistance pour les personnes sourdes. Ils connaissent seulement les chiens-guides pour les personnes aveugles. »

«Gwen a quatre ans. Elle a des yeux très sincères. Elle vole le cœur des gens tellement elle est adorable. C'est une chienne très intelligente et très amicale. Elle déborde d'énergie. Quand elle pointe les oreilles, on ne peut lui résister. Toutes les filles l'adorent, et moi aussi!»

Gaelen se considère très privilégié d'avoir un chien d'assistance. Il a pu obtenir Gwen grâce à sa mère. Celle-ci a rencontré une bénévole œuvrant pour Dog Guides. La dame prenait soin de quelques chiots chez elle, à titre de famille d'accueil, avant qu'ils soient entraînés comme chiens d'assistance.

«Après avoir communiqué avec Dog Guides, une personne est venue me rencontrer, se souvient Gaelen. Elle voulait savoir si j'étais assez mature pour avoir un chien d'assistance. Une semaine plus tard, j'ai appris que j'étais accepté pour recevoir un chien. J'étais aux anges!»

Avant le jumelage, Gaelen a dû obtenir une lettre du propriétaire de l'édifice où il demeure pour qu'on lui permette d'avoir un chien d'assistance. Il devait aussi obtenir une lettre de l'école qu'il fréquente afin d'amener son chien en classe.

«Lors du jumelage avec Gwen, j'ai suivi deux semaines d'entraînement. D'autres personnes sourdes et malentendantes (et moi) avons été logées et nourries gratuitement par Dog Guides. À la fin de la formation, il y a eu une graduation pour tous les bénéficiaires et les chiens. À l'occasion de cette journée mémorable, il y a eu un festin en présence des familles d'accueil et des donateurs. J'ai eu la chance de rencontrer la famille qui s'était occupée de Gwen avant son entraînement pour devenir un chien d'assistance. Je recommande d'ailleurs fortement aux gens d'envoyer des dons à Dog Guides.»

Mais comment un chien d'assistance pour
les personnes sourdes peut-il aider?

«Gwen m'avertit quand le réveille-matin sonne en mettant sa patte sur ma jambe. Elle m'informe quand le téléphone sonne, quand quelqu'un cogne à la porte, quand le four à micro-ondes fait bip bip, quand la sonnerie du four retentit et quand quelqu'un m'appelle sur la rue. Les chiens d'assistance peuvent également être entraînés à reconnaître d'autres sons comme celui d'un enfant qui pleure. Tout dépend de vos besoins.»

Qu'est-ce qui a changé dans la vie de Gaelen depuis qu'il a Gwen?

«Beaucoup de choses ont changé depuis que Gwen et moi sommes devenus une équipe, répond-t-il. Par exemple, je ne manque plus aucun appel téléphonique. Si l'alarme pour le feu se met à sonner, Gwen saute sur moi et m'amène à l'extérieur. Un jour, elle pourrait très bien me sauver la vie.»

Évidemment, c'est une grande responsabilité que d'avoir un chien d'assistance et Gaelen en est conscient. Chaque jour, il doit nourrir Gwen, la promener, la brosser, jouer avec elle et, surtout, lui donner beaucoup d'affection.

«Un chien d'assistance amène la liberté et l'indépendance dans votre vie d'une façon que vous n'auriez jamais cru être possible, affirme-t-il. Le travail qu'il fait pour vous est vraiment extraordinaire. Le chien d'assistance amène de la joie et du rire dans votre vie. L'amour qu'il a pour vous est incomparable. Je dirais que c'est un plus dans votre vie.»

Gaelen demeure avec sa mère et son frère dans la ville d'Orillia, située au nord de Toronto. Son rêve est de devenir directeur photo. Il a déjà participé à un festival de films pour les sourds et y a remporté le premier prix. Gaelen aime aussi danser et faire le disc-jockey. Il a quelques amis qui entendent et plusieurs amis sourds. De temps à autre, il va au cinéma et pratique certains sports comme la nage, le soccer, le basketball et le hockey intérieur. Le jeune homme aime aussi jouer du tambour. Il est d'ailleurs la première personne malentendante à faire partie du corps de tambours Drum Corps International. L'année dernière, il a participé à une compétition individuelle et, pour une première fois, il a très bien réussi.

«En plus de l'école, je suis assez occupé, admet Gaelen. Je n'ai pas à me plaindre. Je ne me limite pas à cause de ma condition. Je n'ai pas encore mon permis de conduire, mais je me déplace souvent en autobus accompagné de Gwen. Quand nous sortons, elle porte son veston orange démontrant qu'elle est un chien d'assistance. Au Canada, un chien d'assistance

Gaelen et Gwen.

peut vous accompagner n'importe où, à l'exception des salles de soins intensifs dans les centres hospitaliers. J'ai eu quelques problèmes dans les restaurants et j'ai dû faire de l'éducation afin d'expliquer ce qu'est un chien d'assistance.»

Gaelen aimerait qu'il y ait plus de chiens d'assistance pour les personnes malentendantes. Il estime que ce type de chiens n'est pas suffisamment connu du grand public. Il croit aussi que le langage des signes devrait être enseigné dans toutes les écoles afin que le grand public puisse communiquer avec les personnes sourdes.

«Nous ne sommes pas retardés, stupides ou ignorants, dit-il. Nous sommes simplement différents. Plus il y aura de l'éducation auprès du grand public, meilleure sera la communication entre les gens ordinaires et les personnes sourdes. Toute personne qui aime les chiens et qui a des problèmes d'audition devrait faire une demande pour obtenir un chien d'assistance. Ces types de chiens apportent beaucoup de choses, entre autres, l'indépendance, la liberté, la sécurité. Ils sont aussi de véritables «connecteurs sociaux». En ce qui me concerne, Gwen est ma deuxième paire d'oreilles. Quand on s'y attarde un peu, on s'aperçoit que le chien est vraiment le meilleur ami de l'homme.»

«Pockets m'a donné confiance en moi»
Diane Charlebois

Pendant huit ans, Pockets a grandement amélioré la qualité de vie de Diane Charlebois. Cependant, toute personne ayant un chien d'assistance doit vivre un deuil un jour ou l'autre. Certaines personnes comme Diane ne s'en remettent pratiquement jamais.

Diane Charlebois, 69 ans, est née entendante. Ce n'est que vers l'âge de 26 ans que ses problèmes auditifs ont débuté.

«Je porte une prothèse auditive à mon oreille gauche depuis 1981, indique-t-elle. Trois audiologistes m'ont dit que je suis une candidate parfaite pour recevoir un implant cochléaire. Malheureusement, à cause de mes problèmes cardiaques, je ne peux subir une opération chirurgicale.»

Diane ne connaît pas la langue des signes, mais elle a suivi des cours de lecture labiale à l'Institut Raymond-Dewar de Montréal. Voilà pourquoi elle peut lire sur les lèvres lorsque les gens lui parlent. Avec le temps, elle s'est habituée à son handicap auditif. Elle a d'ailleurs dirigé un groupe de soutien pour personnes sourdes et malentendantes pour un organisme.

Diane communique avec son mari en parlant et en faisant la lecture labiale. Elle communique de la même façon avec ses deux filles. Celles-ci n'ont pas de problèmes d'audition.

En 1998, lors d'une discussion avec une dame dans un parc, Diane a appris l'existence des chiens d'assistance pour les personnes sourdes. Suite à une visite chez le médecin, on lui a dit que son handicap était assez grave pour qu'elle puisse recevoir un chien d'assistance. Diane a communiqué avec la Fondation des Lions du Canada et un entraîneur est allé la rencontrer afin de bien évaluer ses besoins spécifiques.

En juin 2000, après neuf mois d'attente, Diane a reçu un appel de la Fondation des Lions lui indiquant qu'une classe allait bientôt débuter. Elle s'est rendue à la Fondation des Lions, à Oakville, en Ontario. C'est à cet endroit qu'elle a fait la connaissance de Pockets, un magnifique labrador noir. La femelle avait déjà reçu un entraînement à titre de chien d'assistance pour personnes sourdes. Il ne restait plus qu'à bien jumeler l'équipe.

«J'ai fait deux semaines d'entraînement avec Pockets, se souvient Diane. À un an et demi, ma chienne avait déjà appris plusieurs choses pour me faciliter la vie. À l'aide de ses pattes avant, elle m'indiquait d'où provenait le son lorsqu'elle entendait la sonnerie du téléphone, quand quelqu'un cognait ou sonnait à la porte. Pockets m'indiquait également la sonnerie de la sécheuse et l'alarme pour le feu. Quand une personne me parlait, elle me le faisait savoir aussi. Je dois avouer que Pockets m'a donné confiance en moi.»

Diane se souvient aussi de sa première nuit en compagnie de Pockets. «À l'occasion de la première journée à Oakville, les entraîneurs nous avaient dit de ne pas laisser les chiens se coucher sur les canapés et sur les lits. À mon réveil, ma chienne était étendue sur mon lit tout près de moi (rires).»

Les années qui ont suivi ont été significatives pour Diane. En plus de toutes les tâches énumérées précédemment, Pockets prenait grand soin de sa maîtresse lorsqu'elle se trouvait à l'extérieur de la maison.

«Pockets travaillait autant dans la maison qu'à l'extérieur, souligne-t-elle. Quand je me promenais sur la rue, si quelqu'un se trouvait derrière moi, elle m'avertissait en tournant la tête et en regardant fixement. En me retournant, je voyais une personne à bicyclette ou même un véhicule automobile.»

Chaque fois que Diane sortait avec Pockets, celle-ci portait un dossard orange indiquant qu'elle était un chien d'assistance au travail. Durant l'été, Diane et son mari prenaient des vacances au bord de la mer à différents endroits aux États-Unis.

«Nous sommes allés à plusieurs endroits aux États-Unis et nous n'avons jamais eu de problèmes, tient-elle à préciser. Les gens étaient très accueillants sur les terrains de camping. Pockets portait son dossard et plusieurs personnes étaient curieuses de savoir quel type de chien d'assistance elle représentait.»

Diane garde de très beaux souvenirs de ces moments en compagnie de Pockets.

«Elle adorait l'eau et les balles de tennis, dit-elle en souriant. Lorsque nous étions à la plage, nous lui lancions une balle de tennis dans l'eau. Elle se mettait à courir et revenait à la nage avec la balle dans la gueule. Je crois qu'elle aurait fait ça pendant la journée entière si elle en avait eu l'occasion. Toutefois, elle allait chercher seulement les balles de tennis. Pas question pour elle de se mettre à courir après autre chose. Les autres sortes de balles ne l'intéressaient pas.»

En décembre 2007, Diane a appris que Pockets était atteinte d'un cancer très agressif. Grâce aux soins d'un bon vétérinaire, la dame a gardé sa chienne jusqu'en novembre 2008.

«Le matin du 6 novembre 2008, alors que j'avais rendez-vous chez le vétérinaire pour l'euthanasie de ma chienne, j'ai décidé de faire une promenade avec elle. Nous avons fait le tour de tous les endroits qu'elle aimait. Puis, nous avons fait un arrêt chez l'ami de ma fille Debby. Celle-ci désirait lui faire ses adieux. Pockets avait préféré demeurer à l'extérieur. Quelques instants plus tard, alors que je me trouvais à l'intérieur de

Pockets au travail.

la maison, une personne est venue me dire que ma chienne n'allait pas bien.»

Une fois à l'extérieur, Diane a vu Pockets étendue devant un arbuste. Elle s'est écriée: «Elle n'est tout de même pas en train de mourir!» Debby lui a répondu: «Oui maman. Va voir Pockets. Elle t'attend.»

«À ce moment-là, j'ai cru mourir moi-même tellement j'avais le cœur brisé de la voir dans cet état, se rappelle Diane en versant des larmes. Je lui ai dit: «Maman est là. N'aie pas peur. Je t'aime beaucoup, ma belle Pockets. Merci pour toutes ces belles années que tu m'as données. Laisse-toi aller maintenant. Va rejoindre tes amis au paradis des chiens.» Pocket a fait un long soupir puis elle est morte dans mes bras. Je venais de perdre ma meilleure amie. La perte de Pockets est l'une des plus grandes douleurs que j'ai ressentie au cours de ma vie. Elle a laissé ses empreintes sur mon cœur et elles seront toujours là.»

Bien que Diane puisse recevoir un autre chien d'assistance, elle refuse d'en faire la demande. Lorsque nous l'avons rencontrée pour un entretien, en 2010, soit deux ans après le décès de Pockets, Diane a avoué ne pas s'être remise complètement de cette terrible épreuve.

Qualité de vie améliorée

Chaque année, la Fondation des Lions du Canada demande aux personnes sourdes ayant reçu un chien d'assistance de bien vouloir répondre à un questionnaire. Les réponses s'échelonnent de un à dix où 1 signifie en désaccord et 10, complètement d'accord. Le plus récent sondage démontre les réponses suivantes en chiffres pour l'ensemble des utilisateurs.

Mon niveau de confort de chaque jour a été amélioré: 8,8
Je suis capable de vivre de façon plus indépendante: 9,2
Je demande moins d'assistance de la part des autres: 8,8
Je sors plus fréquemment au sein de la communauté: 8,4
Je me sens plus en sécurité chaque jour: 9,3
Je suis moins stressé dans ma vie de tous les jours: 8,6

Des chiens-guides pour les personnes aveugles

Il semble que l'utilisation du chien-guide remonte aussi loin qu'en 1780. Dans un livre ayant pour titre «*Das Auge*» (1813), l'ophtalmologiste viennois Georg Joseph Beer a écrit que les membres de l'Institut des aveugles «Les Quinze-Vingts», à Paris, étaient guidés par des chiens entraînés à cet effet, en 1780.

Dans un historique des chiens-guides pour les personnes aveugles [13], on rapporte qu'à Vienne, en 1788, un non-voyant du nom de Josef Reisinger avait tellement bien dressé un chien que ses contemporains mettaient en doute sa cécité. Plus tard, en 1819, le fondateur de l'Institut pour l'éducation des aveugles à Vienne, Johann Wilhelm, a été le premier à écrire des instructions pour l'entraînement de chiens-guides.

En 1916, le docteur Gerhard Stalling fondait la première école de chiens-guides pour les aveugles, à Oldenburg, en Allemagne. Au cours des premières années, les chiens étaient offerts gratuitement aux aveugles de guerre. Par la suite, l'école comptait neuf filiales réparties à Bonn, Breslau, Dresde, Essen, Freiburg, Hambourg, Magdeburg, Münster et Hanovre. Chaque année, environ 600 chiens étaient entraînés. Des non-voyants demeurant en Allemagne, en Angleterre, en France, en Espagne, en Italie, en Russie et au Canada ont reçu des chiens de cette école.

En 1926, une deuxième école de chiens-guides a vu le jour à Postdam, en Allemagne. L'année suivante, l'Américaine Dorothy Harrison Eustis a participé de façon bénévole à l'entraînement des chiens-guides pour en étudier le fonctionnement. En 1927, elle a créé la première école pour éducateurs de chiens-guides en Suisse. En novembre de cette même année, elle écrivit un article à ce sujet. Un jeune non-voyant du nom de Morris Frank, résidant aux États-Unis, entendit parler de cet article. Il demanda à madame Eustis de bien vouloir éduquer un chien pour lui. Son chien-guide était un berger allemand du nom de Buddy. En 1929, Morris Frank fonda l'école de chiens-guides *The Seeing Eye*, à Morriston, au New Jersey.

«Je peux voir à nouveau grâce à Zulu»
Stephen Barker

Depuis que Zulu fait partie de sa vie, Stephen Barker affirme avoir repris sa liberté. À 47 ans, il se sent comme un gamin qui découvre le monde. Sa joie de vivre est exemplaire.

«J'ai commencé à perdre la vue de façon graduelle à l'âge de 32 ans, explique-t-il. Cela est attribué à un problème au niveau de la rétine. Je suis complètement aveugle depuis un an. Auparavant, je travaillais comme agent de bord. Je voyageais à travers le monde et j'avais beaucoup d'amis. Par contre, lorsque j'ai commencé à perdre la vue, je ne voulais plus sortir de chez moi.»

En fait, Stephen ne voulait pas être un fardeau pour ses amis, même s'il ne l'était pas en réalité. Chaque fois qu'il avait un rendez-vous, ne serait-ce que pour aller chez le coiffeur, il devait demander à quelqu'un de l'accompagner. Par conséquent, Stephen devait planifier plusieurs jours à l'avance lorsqu'il avait besoin d'un service. Comme bien des personnes non-voyantes, il utilisait une canne blanche, mais il ne se sentait pas confortable avec cet objet. Il y a environ deux ans, Stephen a décidé de faire une demande pour obtenir un chien-guide auprès de Dog Guides de la Fondation des Lions.

«Après avoir été accepté au programme, je me suis rendu chez Dog Guides, raconte-t-il. Au cours des premiers jours, j'ai suivi une formation visant à recevoir un chien-guide. Puis j'ai rencontré ma chienne Zulu, un labrador noir. Ce fut un jumelage parfait. Nous sommes tombés en amour l'un de l'autre, un véritable coup de foudre! En peu de temps, j'ai commencé à sortir de la maison plus souvent car je n'avais plus la crainte de perdre mon chemin. Je sors plus souvent avec mes amis. Je peux maintenant aller où je veux sans être dans l'obligation de prévoir plusieurs jours à l'avance et sans demander de l'aide à qui que ce soit.»

Stephen et Żulu.

Avant d'avoir Zulu, Stephen ignorait à quel point les chiens-guides facilitent la vie des personnes non-voyantes. Il demeure à Grimsby, en Ontario, depuis 14 années. Avant l'arrivée de Zulu, il y a plusieurs endroits qu'il ne connaissait pas.

« Depuis que Zulu fait partie de ma vie, je me sens comme un adolescent de 14 ans sur une planche à roulettes, affirme-t-il, le sourire aux lèvres. J'ai repris ma liberté. Je peux voir à nouveau grâce à Zulu. À présent, je sors tous les jours et je découvre de nouveaux endroits. C'est merveilleux. Lorsque je vais quelque part, Zulu trouve la porte et elle met son corps en direction de la poignée. Je n'ai même pas besoin de la chercher. Mon chien-guide peut aussi trouver une chaise disponible, par exemple, dans un café. De plus, elle peut trouver des escaliers, arrêter à l'intersection d'une rue, contourner des obstacles. Une canne blanche ne fait pas ça. »

Tous les matins, à six heures, Zulu réveille son maître en sautant sur sa poitrine. Après le petit déjeuner, les deux inséparables font une promenade tout en saluant les gens à leur travail.

« J'adore faire des petites balades avec Zulu. Chaque jour, j'aime ajouter une autre rue que je n'ai pas encore explorée. Un jour, je vais sûrement me retrouver à l'autre bout de la ville tellement j'aime découvrir de nouveaux endroits. Grâce à Zulu, j'ai toujours envie d'aller marcher et de rencontrer de nouvelles personnes. Depuis que j'ai mon chien-guide, il y a toujours une personne qui vient me poser des questions. La conversation s'engage alors facilement. D'ailleurs, je vais souvent dans les écoles donner des conférences afin de parler de ma condition et des chiens-guides de Dog Guides. J'aime également donner des interviews aux médias. »

Selon Stephen, toutes les personnes non-voyantes devraient avoir un chien-guide.

« Les personnes non-voyantes, tout comme le grand public, doivent savoir à quel point les chiens-guides sont utiles et extraordinaires. C'est pour cette raison que je donne des conférences dans les écoles. Lorsque vous êtes non-voyant, un chien-guide vous ouvre le monde. Il vous fait sortir de la noirceur. En ce qui me concerne, Zulu a changé ma vie. Je suis très touché par tout ce qu'elle fait pour moi. Elle m'apporte l'indépendance et la joie de vivre. Elle est à la fois ma meilleure amie et mon ange gardien. À présent, mes yeux ont un cœur et une queue.»

«Onze nez froids ont touché nos vies»
Christine et Ronald Pelletier

Christine et Ronald Pelletier se sont aimés dès leur première rencontre, sans même se voir. C'était en 1976. Depuis 1982, 11 chiens-guides les ont aidés à parfaire leur chemin dans la vie de tous les jours. À présent, Bria et McKenna, deux labradors blonds provenant de Guide Dogs for the Blind, partagent leur existence.

Christine et Ronald ont respectivement 56 et 62 ans. Christine est aveugle depuis sa naissance, tandis que Ronald a été mi-voyant jusqu'à l'âge de 25 ans, pour ensuite devenir aveugle.

En 1975, Christine commençait son premier emploi à titre de professeure en réadaptation à l'Institut national canadien pour les aveugles. Elle enseignait le braille aux clients de langue anglaise de la région de Montréal. L'année suivante, ses employeurs lui demandèrent si elle désirait enseigner un cours en dextérité manuelle. Pour cela, elle devait rencontrer cinq nouveaux clients. Les entretiens devaient s'effectuer en français. Tout s'est bien passé jusqu'à ce que Christine rencontre le dernier client.

«Je me sentais nerveuse en sa présence, se souvient-elle en souriant. Bien que je n'étais pas parfaitement bilingue à cette période, on aurait dit que j'avais perdu l'usage de la langue française. À la fin de l'entrevue, le client m'a dit : *«Congratulations! You did very well».* J'ai failli tomber de ma chaise. Je lui ai demandé pourquoi il ne m'avait pas dit plus tôt qu'il parlait anglais. Il m'a répondu : «Je croyais que ton travail devait se faire en français». Ce fut la première rencontre avec l'homme qui allait devenir mon mari.»

Ronald avoue avoir été attiré par Christine parce qu'il éprouvait de l'admiration pour elle.

«Christine était bien ajustée à son handicap visuel, dit-il. Elle enseignait des méthodes pour aider d'autres personnes aveugles.»

«J'aimais beaucoup le son de sa voix, admet Christine. Il dégageait une grande confiance en lui-même.»

Cependant, les enseignants de l'INCA (Institut national canadien pour les aveugles) ne devaient pas fraterniser avec les clients. Christine et Ronald ont réussi à briser les règles quelques semaines avant la fin du cours. Ils se sont fiancés en octobre 1976 pour ensuite se marier en juin de l'année suivante. Les parents de Christine et de Ronald avaient beaucoup d'inquiétudes concernant la façon dont deux personnes handicapées visuelles parviendraient à mener une vie ensemble, mais jamais ils n'ont troublé leur bonheur.

À l'âge de 25 ans, Christine a développé un problème d'oreille interne faisant en sorte qu'elle perdait l'équilibre. C'était devenu dangereux pour elle de se déplacer à l'aide d'une canne blanche et de faire plusieurs trajets en autobus et en métro dans le cadre de son travail. Christine a donc dû renoncer à son emploi comme professeure en réadaptation.

«J'ai peut-être développé ce problème d'équilibre à cause du stress, affirme-t-elle. En tant que professeure à domicile, je devais prendre 14 ou 15 autobus et stations de métro au cours d'une journée de travail. J'étais seule avec ma canne blanche. Souvent, les chauffeurs d'autobus m'oubliaient lorsque je leur demandais de me débarquer à un endroit précis. Cette situation me stressait beaucoup. Mon médecin m'a conseillé d'abandonner mon travail.»

Pendant deux ans, Christine est demeurée confinée dans la maison. Elle n'osait pas aller à l'extérieur, par crainte de perdre l'équilibre et de tomber. Des amis lui ont suggéré de demander un chien-guide. Celui-ci lui aiderait peut-être à reconstruire sa confiance en elle-même. Christine se sentait prête à relever ce défi. En août 1982, la dame s'est rendue à Leader Dogs for the Blind, au Michigan, pour obtenir son premier chien-guide du nom de Taffy.

«Elle était un beau golden retriever, dit Christine. Taffy m'a donné un nouveau sens à la liberté et à l'indépendance. Je lui en serai éternellement reconnaissante. Cependant, Ronald n'était pas d'accord à l'idée d'avoir un chien à la maison. Il disait qu'il ne s'en occuperait pas. Pas question pour lui de le nourrir, de le brosser et de l'amener à l'extérieur. Lors du premier hiver où Taffy vivait avec nous, je me suis blessée à la main gauche et j'ai reçu treize points de suture. Ronald a donc dû s'occuper de Taffy. Un soir, il a fait une promenade avec elle. En revenant à la maison, il m'a dit: «Dès demain, je vais faire les démarches nécessaires pour obtenir un chien-guide». Je me sentais à la fois surprise et très heureuse d'entendre ces paroles de sa bouche.»

«J'ai vraiment apprécié l'expérience de me promener avec un chien-guide à mes côtés, explique Ronald. À l'époque, je me déplaçais avec une canne blanche. La différence entre la canne blanche et le chien-guide, c'est comme le jour et la nuit. Le chien contourne les obstacles. Avec la canne blanche, il faut vraiment toucher aux obstacles pour savoir qu'ils sont là. Au cours de cette période de ma vie, j'étais accordeur de piano. J'ai effectué ce travail pendant plus de 12 ans. Presque chaque jour, j'allais partout à Montréal ainsi que dans la grande région de Montréal à l'aide de ma canne blanche. Je devais effectuer plusieurs trajets en métro et en autobus. Le fait de me déplacer avec un chien-guide m'a donné plus de confiance. Je me sentais moins seul également. Parfois, je parlais à mon chien dans l'autobus. Les gens devaient croire que j'étais cinglé.»

Jusqu'à maintenant, Christine a eu sept chiens-guides, incluant Bria, tandis que Ronald en a eu quatre avec McKenna. Bria a quatre ans et McKenna, neuf ans. Christine a pris l'avion jusqu'en Californie pour aller chercher Bria; Ronald a fait de même pour McKenna. Les allers-retours en avion ainsi que l'hébergement lors des jumelages ont été entièrement payés par Guide Dogs for the Blind.

Les deux labradors ont d'ailleurs des souliers conçus expressément pour eux afin de ne pas abîmer leurs pattes dans la neige, le froid et le sel durant l'hiver.

La plupart des chiens-guides que Christine et Ronald ont obtenus proviennent de Leader Dogs for the Blind, au Michigan, de Canadian Guide Dogs for the Blind, en Ontario, et de Guide Dogs for the Blind, en Californie.

Comme bien des gens qui possèdent un chien-guide ou un chien d'assistance, Ronald estime que le chien est un «brise-glace social».

«Quand une personne non-voyante se trouve en public avec sa canne blanche, il n'y a personne qui va s'approcher d'elle en disant: «Vous avez une belle canne blanche». Si l'aveugle a un chien-guide, bien des gens vont lui parler.»

«Onze nez froids ont touché nos vies, lance Christine en riant. Les chiens-guides sont des êtres absolument merveilleux.»

Un soir d'hiver, alors qu'il était accordeur de piano, Ronald se souvient de s'être perdu à Montréal, lors du retour à la maison. Au cours de cette période, il avait son chien-guide Max.

«J'étais inquiet, mais je savais que je pouvais faire confiance à Max, raconte-t-il. Ce chien était extraordinaire et il savait repérer les arrêts d'autobus. Ce soir-là, je lui ai donné le commandement: *«Find the bus stop»*. Max avait associé ces mots à des arrêts d'autobus. Étant donné que je tenais fermement son harnais, je sentais qu'il regardait partout autour de lui et qu'il cherchait. En peu de temps, Max m'a conduit à un arrêt d'autobus et je suis revenu à la maison en toute sécurité.»

Pour Christine et Ronald, les chiens-guides représentent des compagnons qui améliorent la qualité de vie. Les liens qui les unissent sont très forts. Évidemment, les chiens ne vivent pas aussi longtemps que les humains et ils doivent prendre leur retraite un jour ou l'autre, soit parce qu'ils sont âgés ou parce qu'ils sont devenus malades. Comment Christine et Ronald ont-ils vécu le départ de chaque chien qui est passé dans leur vie?

«C'est évident qu'il y a un deuil à faire, répond Christine. C'est difficile à vivre. Quand on a eu un chien-guide, on ne veut pas retourner à la canne blanche. Malgré toute l'affection qu'on éprouve pour un chien, il faut comprendre qu'il n'est que de passage dans notre vie.»

«Quand notre sécurité pour se déplacer dépend d'un chien-guide, on ne peut pas vivre un deuil très longtemps, ajoute Ronald. Dans ma situation, je n'ai jamais passé une semaine sans avoir un chien-guide à mes côtés. Quand un chien se fait vieux, je planifie environ six mois à l'avance pour en obtenir un autre. Je vous dirais que je n'ai pas vraiment le temps de vivre un deuil. Je me souviens de mon premier chien-guide. Lorsqu'il a eu 10 ans, un entraîneur m'a dit qu'il était temps que mon chien prenne sa retraite et que je devais songer à avoir un autre chien. J'étais en colère. Je disais que mon chien était en pleine forme. Environ six mois plus tard, j'ai compris que l'entraîneur avait raison. Mon chien arrêtait au beau milieu des escaliers. Il éprouvait de la douleur aux pattes arrière. Je devais le porter dans mes bras jusqu'au bas des escaliers. Je pleurais. J'ai donc dû remplacer mon premier chien-guide.»

Lorsque les chiens-guides doivent prendre leur retraite, les écoles pour chiens-guides les retournent dans les familles d'accueil qui les ont élevés avant l'entraînement. Parfois, les anciens propriétaires trouvent une famille d'accueil dans leur entourage, soit la famille ou les amis.

Avis aux personnes qui ont de la difficulté à se contenir lorsqu'elles voient ces formidables créatures à quatre pattes: il ne faut pas les caresser. Lorsqu'un chien-guide porte son harnais, il est au travail. Par conséquent, il a besoin de concentration.

«J'aimerais que les gens sachent que, malgré notre handicap visuel, nous ne sommes pas stupides, souligne monsieur Pelletier. Quand on demande aux gens: «S'il vous plaît, ne touchez pas à mon chien», ils devraient nous respecter. Souvent, les gens caressent tout de même le chien en disant: «Non, je ne le caresse pas. Je n'y touche même pas». Mais ils ont les deux mains sur mon chien. Je ne suis pas stupide. Je le ressens avec le harnais quand mon chien se fait caresser.»

«Lorsque nous allons dans les centres commerciaux, plusieurs personnes viennent vers nous pour nous parler et caresser nos chiens-guides, mentionne Christine. Elles posent de nombreuses questions sur nous et sur nos chiens. Parfois, ça devient harassant car nous n'arrivons pas à faire nos achats adéquatement. J'aime beaucoup les gens, mais nous devons faire nos emplettes comme tout le monde.»

Malgré leur handicap visuel, Christine et Ronald ne se sont jamais perçus comme des victimes de la vie. Au contraire, ils ont plusieurs amis et une vie sociale intéressante. Depuis quelques années, Ronald œuvre à titre de technicien en informatique. Son travail consiste à former des personnes aveugles à l'accessibilité des logiciels pour non-voyants.

Christine et Ronald en compagnie de Bria et McKenna.

«C'est dans la tête qu'on est beau, de conclure Ronald. Comme bien des couples, nous avons eu des hauts et des bas. Christine et moi, nous nous aimons profondément car notre relation n'est pas basée sur l'apparence.»

«Ultima illumine ma vie»
Renae Goettel

Bien que Renae Goettel soit partiellement aveugle, cela ne l'a pas empêchée de réaliser ses rêves. Au contraire, chaque fois qu'elle rencontre un obstacle sur son chemin, elle passe à travers avec une force de caractère inébranlable. Son chien-guide Ultima lui facilite la vie de tous les jours en contournant d'autres formes d'obstacles.

Renae est venue au monde avec une vision périphérique très limitée. Elle peut voir seulement devant elle car elle n'a qu'une vision centrale. À l'âge de 17 ans, elle a fait une demande auprès de Guide Dogs for the Blind afin d'obtenir un chien-guide. Elle s'appelait Lucy. Pendant six ans, Lucy a guidé Renae, soit de l'école secondaire jusqu'à l'université. Pour Renae, ce fut une expérience très enrichissante.

«Avec un chien-guide, je me sens en sécurité, affirme la jeune femme de 26 ans. Je peux me déplacer et voyager en toute confiance. C'est une expérience incroyable qui m'apporte énormément d'indépendance.»

Il y a trois ans, Renae a reçu Ultima. Tout comme Lucy, il s'agit d'un labrador noir, mais avec une personnalité différente.

«Lors du jumelage avec Ultima, c'était difficile car j'avais tendance à la comparer à Lucy, admet-elle. Il faut lâcher prise. Avec du recul, je constate que mes chiens-guides ont été parfaits pour les situations et les périodes de ma vie. Les entraîneurs de Guide Dogs for the Blind savent ce qu'ils font et je leur ai fait totalement confiance. Par conséquent, j'ai eu des jumelages parfaits.»

C'est en compagnie de Lucy que Renae a fréquenté l'université Trinity à San Antonio, au Texas. Renae est d'ailleurs la première personne non-voyante qui ait gradué de cette institution.

«Ma famille demeure à Seattle, dans l'État de Washington. J'ai déménagé jusqu'au Texas afin de poursuivre des études universitaires en communication et en sociologie. J'étais excitée à l'idée de relever ce défi. Pour les professeurs, ce fut également un défi, puisque plusieurs d'entre eux n'avaient jamais enseigné à une personne aveugle. Cette expérience a mis ma patience à rude épreuve de temps à autre, mais j'en suis reconnaissante. J'ai aimé ouvrir le chemin à d'autres non-voyants et aux personnes ayant une déficience visuelle désirant poursuivre leurs études universitaires à Trinity. J'en suis très heureuse.»

Depuis trois ans, Renae travaille en relations publiques pour Spurs Sports & Entertainment. Chaque matin, elle se rend au bureau avec une amie qui possède une voiture. Pour le retour à la maison, elle prend l'autobus. Évidemment, Ultima accompagne toujours sa maîtresse à son boulot.

«Ultima est d'abord mon outil de mobilité, précise Renae. Tous les jours, elle trouve des escaliers et m'aide à contourner des obstacles. Je travaille souvent dans les arénas. Par conséquent, il y a beaucoup d'action et de nouveaux obstacles. Ultima est constamment aux aguets. Elle est très intelligente. Pour moi, elle représente la liberté et l'indépendance. En fait, Ultima illumine ma vie. C'est aussi une très bonne amie. À la maison, elle ne porte pas son harnais. J'en profite pour jouer avec elle. Je vis seule avec ma chienne.»

D'autre part, Renae passe bien du temps au bureau. En plus des réunions, elle écrit des communiqués de presse, des rapports, etc.

«Mes collègues de travail m'apportent beaucoup de soutien. Je ne suis pas honteuse d'être aveugle. C'est ma vie. Je réponds aux questions que les gens me posent. Il n'y a rien qui puisse m'offenser. Au contraire, j'aime faire des blagues avec mes collègues.»

Il y a 11 ans, Renae a subi une transplantation rénale. Elle a également reçu un diagnostic de syndrome lymphoprolifératif. À présent, elle est complètement guérie. Malgré tous les obstacles qu'elle a dû franchir, elle considère qu'elle n'a aucune raison d'être malheureuse.

Renae et Ultima.

«J'ai une bonne santé, une famille, des amis et un travail que j'aime. Ce sont toutes des choses fantastiques. Il y a des gens qui croient que les personnes aveugles et les personnes handicapées sont très malheureuses parce qu'elles n'ont pas une indépendance complète. Je ne pense pas que cela puisse définir le bonheur d'un individu.»

Et si la jeune femme n'avait pas eu tous ces défis à relever, serait-elle la même personne?

«La réponse est non. Ce sont ces défis qui ont forgé mon caractère. Le fait d'être aveugle n'est pas rose. C'est parfois emmerdant. Tous les défis que j'ai confrontés dans ma vie ont façonné la personne que je suis devenue.»

Les bénéfices d'un chien-guide

Comme il est mentionné dans les témoignages précédents, les bénéfices apportés par un chien-guide sont nombreux. Les propriétaires affirment que leur qualité de vie est améliorée comparativement à l'époque où ils utilisaient une canne blanche pour se déplacer.

Un sondage intitulé *«The Benefits of Guide Dog Ownership»*[14], effectué auprès de 831 personnes aveugles, a permis d'en savoir davantage. Parmi ces personnes, 404 avaient un chien-guide et 427 n'en avaient pas.

Soixante-quinze pour cent (75%) des personnes ayant un chien-guide déclaraient avoir demandé un chien pour avoir une meilleure mobilité. La deuxième raison était pour avoir plus d'indépendance. Les femmes ont indiqué qu'elles se sentent plus en sécurité avec un chien-guide. Les jeunes gens ainsi que les femmes ont souligné que le chien-guide apporte plus de confiance et de contacts sociaux. Les personnes retraitées ont relaté que leur chien-guide leur permet de faire de l'exercice. Les personnes qui vivent seules voient leur chien-guide comme un compagnon de vie.

Chez les non-propriétaires, la plupart d'entre eux sont au courant des bénéfices d'avoir un chien-guide, mais certains croient qu'il faut être complètement aveugle pour obtenir un chien-guide. D'autres pensent qu'il y a une limite d'âge pour faire la demande d'un chien-guide. D'autres sont convaincus que si une personne a plus d'un handicap, elle n'est pas éligible. Enfin, certains croient qu'ils doivent payer pour obtenir un chien-guide. Ce sont de fausses perceptions.

Par ailleurs, certains non-propriétaires ont mentionné ne pas vouloir se rendre dans une autre ville quand vient le temps de faire le jumelage avec un chien-guide. D'autres ne veulent tout simplement pas se préoccuper des responsabilités d'avoir un chien-guide.

Conclusion

À la suite de la lecture de tous ces témoignages ainsi que des recherches peu nombreuses effectuées par des scientifiques, nous ne pouvons pas demeurer insensibles aux facultés extraordinaires des chiens. Il n'en tient qu'à nous d'être plus attentifs en regard de leurs facultés et de les mettre à contribution pour le mieux-être de l'humanité. Ne serait-il pas temps d'effectuer davantage de recherches afin de mieux comprendre leurs facultés? Peut-être pourrions-nous faire des découvertes encore plus étonnantes? D'ailleurs, les chiens ne demandent pas mieux que de vivre en notre présence et de nous faciliter la vie.

Depuis des milliers d'années, le chien accompagne l'homme dans son quotidien. Les facultés extraordinaires des chiens ont probablement toujours existé. Nous ne faisons que les redécouvrir.

Des millions de gens à travers le monde sont aux prises avec le diabète, l'épilepsie, le cancer, la maladie mentale et bien d'autres maladies ou conditions. Le chien ne serait-il pas une aide formidable pour toutes ces personnes qui n'ont souvent pas accès à des soins médicaux? Évidemment, le chien n'est pas un remède miracle contre tous les maux, mais il améliore l'existence de son maître de bien des façons et, parfois, il lui sauve la vie.

Les auteures

Marie-Claude Roy et Carole Villeneuve ont acquis plusieurs années d'expérience en journalisme et en traduction. Passionnées de recherche et d'histoires vraies, elles concrétisent un rêve par la rédaction de ce premier livre.

REMERCIEMENTS

À l'automne 2009, suite à un été vraiment moche au Québec, côté température, nous avons décidé de faire un voyage en Californie. A priori, nous avions commencé à écrire un livre sur des gens dont la vie avait été sauvée par un chien. Avant de partir, nous avons fait des recherches sur les chiens en Californie. C'est ainsi que nous avons trouvé Dogs for Diabetics ainsi que d'autres fondations. Bien que le but de notre voyage ait été de profiter du soleil et des plages californiennes, notre séjour s'est transformé en une escalade d'interviews et de rencontres exceptionnelles.

De retour au Québec, nous avons poursuivi nos recherches et effectué d'autres interviews. L'interaction entre l'homme et le chien est vite devenue pour nous un sujet passionnant. Le concept du livre s'est développé par lui-même, c'est-à-dire un concept facile à transmettre par le biais d'histoires courtes, le tout formulé dans un langage simple.

Nous nous sommes concentrées seulement sur les chiens pouvant apporter à l'homme une meilleure qualité de vie, aux niveaux physique et psychologique. Il va sans dire que les chiens peuvent faire bien d'autres choses pour le mieux-être de l'humanité.

Même si les capacités extraordinaires des chiens restent à démontrer pour la science, nous croyons que nous devons les faire connaître au grand public. Ainsi, des personnes aux prises avec une condition ou une maladie quelconque seraient plus nombreuses à bénéficier des chiens d'assistance.

Nous tenons à remercier toutes ces personnes qui ont eu la gentillesse de nous raconter leur vie avec leur chien d'assistance. Sans elles, ce livre n'aurait jamais pris naissance. Nous tenons également à exprimer notre profonde gratitude envers les fondations qui, en plus d'avoir accepté de répondre à toutes nos questions, ont été les liens nous permettant de rencontrer toutes ces formidables personnes.

Et, par-dessus tout, merci à vous, chers lecteurs. Nous espérons que vous serez nombreux à faire connaître et à encourager le travail fabuleux des fondations pour les chiens d'assistance, partout à travers le monde.

Marie-Claude et Carole en compagnie
de Snoopy, Buddy Love et Akira.

Les fondations

La valeur monétaire d'un chien-guide, chien d'assistance ou chien de service se situe entre 20 000$ et 30 000$. Les fondations sont des organismes à but non lucratif. Grâce à la générosité du grand public, elles sont en mesure d'offrir des chiens gratuitement. S'il vous plaît, faites un don.

Dogs 4 Diabetics
1647, Willow Pass Road, Suite 157
Concord, CA 94520-2611
USA
www.dogs4diabetics.com

Dog Guides de la Fondation des Lions
C.P. 907
Oakville (Ontario) L6J 5E8
Canada
905-842-2891 ou le 1-800-768-3030
www.dogguides.com

Psychiatric Service Dog Society
P.O. Box 754
Arlington, VA 22216
USA
www.psychdog.org

Pine Street Foundation
The Pine Street Foundation: http://pinestreetfoundation.org
Les dons peuvent être envoyés par le biais du site Web.

North Star Foundation
20 Deerfield Lane
Storrs, CT 06268
USA
www.NorthStarDogs.com

National Service Dogs

C.P. 28009
Preston Postal Outlet
Cambridge (Ontario)   N3H 5N4
Canada
519-623-4188
www.nsd.on.ca

Patriot Paws Service Dogs

254 Ranch Trail
Rockwall, Texas 75032
USA
972-772-3282
www.patriotpaws.org

Canine Companions for Independence

P.O. Box 446
Santa Rosa, CA 95402-0446
USA
www.caninecompanions.org

Dog Guide for the Blind

P.O. Box 3950
San Rafael, CA 94912-3950
USA
1-800-295-4050
www.guidedogs.com

RÉFÉRENCES

1. Fédération Internationale du Diabète:
    www.idf.org

2. Dog's gaze at its owner increases owner's urinary
    oxytocin during social interaction
    www.ncbi.nlm.nih.gov/pubmed/19124024

3. Can dogs smell cancer?, documentaire de la BBC,
    2005, U.K.

4. Dr Dog, The Cancer Specialist, The Sunday Times,
    November 6th, 2005

5. Study finds dog scan smell cancer, The Guardian,
    September 24th, 2004

6. Pine Street Foundation: http://pinestreetfoundation.org/
    2009/05/17/canine-scent-detection-breast-and-lung-cancer

7-8. The Doggie will see you now. Do dogs have the ability
    to smell cancer?, ABC News, August 14th, 2007,
    http://i.abcnews.com/3473950

9. Doggie Howser: Woman says dog detected her cancer,
    CNN, February 6th, 2006, http://cnn.worldnews

10. Kristen E. Burrows, Cindy L. Adams, Jude Spiers,
    Sentinels of Safety: Service Dogs Ensure Safety and
    Enhance Freedom and Well-Being for families with
    Autistic Children, Qualitative Health Research,
    Vol. 18 [12], Sage Publications, Dec., 2008, p. 1642-1649

11. Laurel Rabschutz, The Effect of Partnering with an
    Assistance Dog on Self-Esteem and Social Connectedness
    among Persons with Disabilities,
    University of Connecticut, 2006, 156 pages

12. Lane Dr, McNicholas J., Collis GM. Dogs for the
    Disabled: Benefits to recipients and welfare of the dog.
    Appl Anim Behav Sci. 1998; 59:49-60

13. Chiens-guides d'aveugles au Luxembourg:
    www.chienguide.org

14. L. Whitmarsh, The Benefits of Guide Dog Ownership,
    Visual Impairment Research, 7:27-42, 2005,
    Taylor & Francis

AUTRES RÉFÉRENCES

Diabète

American Diabetes Association: www.diabetes.org
diabetes-basics/diabetes-statistics/

Canadian Diabetes Association: www.diabetes.ca
diabetes-and-you/what/facts/

Diabète Québec: www.diabete.qc.ca

Organisation mondiale de la santé: www.who.int
mediacentre/factsheets/fs312/fr/index.html

British dogs trained to sniff out diabetes, June 22th 2009,
www.reuters.com/articleID=USTRE55L2B020090622

Épilepsie

Epilepsy Canada: www.epilepsy.ca

Epilepsy Foundation: www.epilepsyfoundation.org

The Epilepsy Magazine, Issue no. 95, June, 2009, p. 11

Organisation mondiale de la santé: www.who.int/mediacentre

Seizure Response Dogs: Evaluation of a formal training
program, A.Kirton; A.Winter; E.Wirrell;O.C.Snead,
Epilepsy and Behavior 13 (2008) 499-504

Sniffing out the Truth: The need for real seizure
dog research, Adam Kirton:
www.epilepsy.org.uk, issue 14, p. 15-19

Seizure-alert dogs: fact or fiction?, V. Strong, SW Brown,
R. Walker, Seizure 1999; 8:62-65

The use of seizure-alert dogs, SW Brown, V. Strong,
Seizure 2001; 10:39-41

Effect of trained seizure alert dogs on frequency of tonic-
clonic seizures, V. Strong, S. Brown, M. Huyton, H. Coyle,
Seizure 2002; 11:402-405

Seizure-alert dogs: a review and preliminary study,
DJ Dalziel, BM Uthman, SP McGorray, RL Reep,
Seizure 2003; 12:115-120

Seizure-alerting and response behaviours in dogs living with epileptic children, A. Kirton, E. Wirrell, E. Zhang, L. Hamiwka, Neurology 2004; 62:2303-5

Cancer

Docteur chien: Enjeux, 25 octobre 2006,
www.radio-canada.ca/actualite/v2/enjeux/
niveau2_liste99_200610.shtml#

Autisme

Ontario Veterinary College, University of Guelph, Evaluating the Benefits of Service Dogs for Children with Autism Spectrum Disorder, April 2005, Cindy L. Adams et Kristen E. Burrows, http://www.nsd.on.ca/research.htm

Patty Dobbs Gross, The Golden Bridge, A Guide to Assistance Dogs for Children Challenged, Purdue University Press, 2006, 251 pages